TRANSFERÊNCIA E
CONTRATRANSFERÊNCIA

Murray Stein
Nathan Schwartz-Salant
(organizadores)

TRANSFERÊNCIA E CONTRATRANSFERÊNCIA

Ensaios Contemporâneos Sobre a Interação Entre
Analista e Paciente na Psicoterapia Junguiana

Tradução
Marta Rosas de Oliveira

Revisão Técnica
Marcia Tabone

Editora
Cultrix
SÃO PAULO

Título do original: *Transference, Countertransference.*

Copyright © 1984, 1992 Chiron Publications.

Publicado mediante acordo com Chiron Publications LLC, Asheville, NC.

Copyright da edição brasileira © 2000, 2021 Editora Pensamento-Cultrix Ltda.

2ª edição 2021.

Todos os direitos reservados. Nenhuma parte desta obra pode ser reproduzida ou usada de qualquer forma ou por qualquer meio, eletrônico ou mecânico, inclusive fotocópias, gravações ou sistema de armazenamento em banco de dados, sem permissão por escrito, exceto nos casos de trechos curtos citados em resenhas críticas ou artigos de revistas.

A Editora Cultrix não se responsabiliza por eventuais mudanças ocorridas nos endereços convencionais ou eletrônicos citados neste livro.

Editor: Adilson Silva Ramachandra
Gerente editorial: Roseli de S. Ferraz
Gerente de produção editorial: Indiara Faria Kayo
Editoração eletrônica: Join Bureau
Revisão: Erika Alonso

Dados Internacionais de Catalogação na Publicação (CIP)
(Câmara Brasileira do Livro, SP, Brasil)

Stein, Murray
   Transferência e contratransferência: ensaios contemporâneos sobre a interação entre analistas e pacientes da psicologia Junguiana / Murray Stein, Nathan Schwartz-Salant; tradução Marta Rosas de Oliveira. – 1. ed. – São Paulo: Editora Cultrix, 2021.

   Título original: Transfer and counter transfer: contemporary essays on the interaction between analysts and patients in Jungian psychology

   ISBN 978-65-5736-116-0

   1. Ensaios 2. Psicologia junguiana I. Título.

21-74861 CDD-150.1954

Índices para catálogo sistemático:
1. Psicologia junguiana 150.1954
Aline Graziele Benitez – Bibliotecária – CRB-1/3129

Direitos de tradução para a língua portuguesa adquiridos com exclusividade pela
EDITORA PENSAMENTO-CULTRIX LTDA., que se reserva a
propriedade literária desta tradução.
Rua Dr. Mário Vicente, 368 – 04270-000 – São Paulo, SP – Fone: (11) 2066-9000
http://www.editoracultrix.com.br
E-mail: atendimento@editoracultrix.com.br
Foi feito o depósito legal.

Sumário

Fatores arquetípicos subjacentes à atuação sexual
no processo de transferência/contratransferência...................... 7
NATHAN SCHWARTZ-SALANT

Sonhos e transferência/contratransferência:
o campo transformador.. 47
JAMES A. HALL

Transferência e contratransferência na análise voltada
para os distúrbios alimentares 75
MARION WOODMAN

Poder, xamanismo e maiêutica na contratransferência................ 93
MURRAY STEIN

Êxito e fracasso de intervenções na análise junguiana:
a construção/desconstrução do círculo fascinante..................... 121
WILLIAM B. GOODHEART

Reflexões sobre o Processo de Transferência/Contratransferência
com Pacientes com Transtorno de Personalidade Borderline...... 157
HARRIET GORDON MACHTIGER

Tipos psicológicos em transferência/contratransferência
e a interação terapêutica.. 193
JOHN BEEBE

A transferência/contratransferência entre a
analista e a menina ferida.. 213
BETTY DE SHONG MEADOR

Mãe, pai, professor, irmã: problemas de transferência/
contratransferência com mulheres no primeiro estágio
de desenvolvimento do *animus*.. 233
FLORENCE L. WIEDEMANN

Fatores Arquetípicos Subjacentes à Atuação Sexual no Processo de Transferência/Contratransferência

Nathan Schwartz-Salant*

Introdução

Não é difícil enumerar as razões por que a atuação sexual na análise é nociva. Com efeito, várias são as contribuições nesse terreno. *Incest and Human Love* (1974, pp. 30-1), de Robert Stein, ressalta o prejuízo da faculdade imaginal pelas feridas do incesto. Outra importante contribuição é o acompanhamento das terríveis consequências do sexo

---

* **Nathan Schwartz-Salant**, com Ph.D. pela University of California, Berkeley, e Diploma em Psicologia Analítica pelo C. G. Jung Institute, Zurique, pratica a psicanálise junguiana na cidade de Nova York, onde pertence ao corpo docente do C. G. Jung Training Center, Ex-presidente da National Association for the Advancement of Psychoanalysis (NAAP), ele é autor de *Narcissism and Character Transformation:* The Psychology of Narcissistic Character Disorders (1982). [*Narcisismo e Transformação do Caráter*. 2. ed. São Paulo: Cultrix, no prelo.]

As notas de rodapé deste ensaio provêm de reflexões do autor sobre comentários feitos na Ghost Ranch Conference de 1983. Ele gostaria de agradecer aos participantes desse encontro pela valiosa contribuição.
© 1984 Chiron Publications

entre paciente e analista que faz Ann Ulanov (1979). Charles Taylor (1982) manifesta uma preocupação ética muito grande e procedente baseada numa análise do risco que tal comportamento impõe à alma. Beverley Zabriskie (1982) sonda a profundidade das feridas que esses atos provocam nas mulheres e no feminino de maneira geral. Joseph Henderson (1982) fornece um breve relato do dano causado à função simbólica pela atuação sexual, com ênfase na mesma questão tratada por Jung em seu principal estudo, *The Psychology of the Transference*[1] (1946, §§ 353-539). Todas essas obras explicam de várias formas a natureza destrutiva – para usar apenas um dos inúmeros adjetivos aplicáveis a esse caso – do ato. Essa breve listagem não pretende esgotar as contribuições junguianas à questão, tampouco inclui as diversas críticas não junguianas ao sexo na análise.

A atuação sexual no processo de transferência/contratransferência constitui uma das mais obscuras sombras do esforço analítico. Ela é um impulso da sombra contra o qual se reúnem todas as contribuições acima. Porém, como junguianos, sabemos também o quanto é importante a necessidade de integrar a sombra e não apenas reprimi-la. Graças a injunções de ordem ética contra a atuação sexual, decorrentes de uma análise do massacre que ela pode provocar na alma, adquirimos atitudes estruturais que podem ser usadas, com toda a justeza, na repressão. Mas, embora seja capaz de atrair a energia desse impulso da sombra para uma utilização simbólica e consciente, o processo de repressão também faz a sombra assumir sua faceta mais vil e *trickster*. Se, em vez da transformação, ocorrer a repressão, engendramos na análise um lado sombra que funciona exatamente como a sombra costuma funcionar: adquirindo o poder de diluir imperceptível e insidiosamente nossos maiores esforços e qualidades. Ao procurarmos abrigo

---

[1] A Prática da Psicoterapia – Contribuições ao Problema da Psicoterapia e à Psicologia da Transferência. In: *Obras Completas de C. G. Jung*. 3. ed. Petrópolis: Vozes, 1987. Vol. XVI/1. (N. do E.)

em restrições morais e éticas, ao apelarmos para a natureza simbólica da análise ou quando reduzimos a atuação sexual ao hediondo ato sexual com o *Self* infantil do paciente (ou seja, ao sexo com uma criança), também deflagramos uma sombra que nos endurece o espírito, torna nosso corpo tabu e nos transforma a sexualidade em sintoma.

Perdoem-me se pareço derivar um pouco para a esquerda, rumo ao sinistro caminho da mão esquerda. Por favor, entendam que, se o faço, é para tentar resgatar um pouco da alma ali perdida e compreender melhor a natureza arquetípica do ato. Do contrário, a repressão acabará por se tornar nosso método. Espero que se possa dizer, de uma vez por todas, que a atuação sexual é desaconselhável e geralmente destrutiva, por todas as razões enumeradas pelas fontes excelentes que citei.[2] Mas eu quero saber por que ela ocorre e por que tantas vezes parece, não só a analistas como a analisandos, ser no momento um ato tão verdadeiro, em vez de tão falso. Será isso simplesmente uma delusão conveniente, um truque satânico de fraude do espírito? Ou será uma espécie de falácia própria de algo fugidio e difícil de alcançar, uma meta e um propósito ainda não adequadamente tratados por Jung nem pelos junguianos? Acredito na segunda hipótese. A meta fugidia pode ser imaginada como uma substância que Jung chamou libido de parentesco, à qual – com base na análise de Victor Turner (1974) dos ritos liminares – me referirei como *communitas*. O presente ensaio versa sobre a *communitas* e o papel central desempenhado pela transferência

---

[2] A questão que se pode levantar é se a minha abordagem é repressora das forças arquetípicas. Seria possível a "Deusa" ofender-se às vezes por *não* atuar sexualmente? As forças arquetípicas podem ser bem atendidas imaginalmente; além disso, a atuação dessas energias pode ser – e geralmente é – uma inflação narcísica que A afronta profundamente. A Deusa pode enfurecer-se diante da não atuação, mas isso é algo que podemos suportar muito melhor que sua ira diante da atuação num espaço que não pode respeitá-la ou servi-la. Ela pode ser reverenciada na experiência imaginal sagrada da *coniunctio*.

arquetípica em sua liberação por meio da *coniunctio* – a imagem da união de opostos que Jung identificou como a forma estrutural que subjaz à transferência.

Como Jung via a transferência

Nossa compreensão das complexidades da dinâmica da transferência e contratransferência torna-se mais profunda à medida que aumentam as contribuições de vários clínicos com pontos de vista diversos acerca dos processos a elas subjacentes, cujas origens estão em antigos conflitos bebê-mãe. Muito se descobriu desde que Breuer fugiu das fantasias sexuais de sua paciente; chegamos ao fim de uma era em que a contratransferência foi vista como um lamentável fracasso e, nos últimos anos, entramos em um novo terreno, no qual se vem aceitando mais o processo de transferência/contratransferência como um modo de transferência de informação. Hoje, muitas vezes, recorre-se às reações do analista para busca de informações objetivas sobre o paciente, e o que este diz ou sonha é reconhecido como indicação de percepção precisa do analista e do estado do processo analítico. A simples menção a referências que sustentem tais afirmações na literatura daria ensejo a muitas citações de trabalhos clínicos de grande valia. Percebe-se um acúmulo de conhecimentos e uma maior facilidade na transposição das pontes que separam as diferentes escolas de pensamento. A existência de elementos arquetípicos na transferência é hoje menos obscura e, enquanto a contribuição de Klein é assimilada pela comunidade psicanalítica, é possível prever uma proximidade maior entre as abordagens junguianas e não junguianas, em vínculos que foram preconizados pela London School of Analytical Psychology. Essas pontes já parecem estar prontas, de vez que a teoria das relações objetais atribui à psique uma natureza intencional e pragmática, um dos suportes da abordagem junguiana.

Todavia, existem diferenças, e o conflito entre as diversas escolas de pensamento também cresce. Os papéis da inveja, da raiva, do medo, de perda objetal, das pulsões, das metas, do espírito, do instinto, da fantasia e da idealização constituem a arena de um debate que é a contrapartida daquele que acabo de descrever. Em vez da harmonia, eu poderia ter enfatizado os pontos de vista conflitantes, mas isso só ressalta o avanço no conhecimento. Tudo indica que sabemos muito, ao menos muito mais do que há quase quarenta anos, quando Jung escreveu *The Psychology of the Transference*.

Coloca-se então a questão do valor da estranha abordagem, voltada para a alquimia, que Jung adotou nessa obra, sua maior afirmação a respeito da transferência. Será que nós a superamos? Será que devemos considerá-la da mesma forma que Jung via a alquimia, ou seja, uma busca às cegas, em vez de uma compreensão maior? Será ela de grande interesse histórico, um exemplo de consciência emergente e, como as especulações da alquimia, algo de grande, embora obscuro, valor, do qual precisamos agora ter consciência com o avanço do conhecimento de que dispomos, do processo de transferência/contratransferência?

Este ensaio não constitui primordialmente uma avaliação da visão de Jung acerca da transferência. Meu interesse está voltado para um tópico mais restrito: a questão da atuação sexual no processo de transferência/contratransferência. Mas a via de compreensão dessa questão está, creio eu, justamente em repensar as imagens do texto alquímico *Rosarium Philosophorum*. Jung o tomou como guia porque, conforme afirmou, "tudo o que o médico observa e experiência com o paciente no momento do confronto com o inconsciente coincide de fato e de maneira espantosa com o significado contido nessas imagens" (1946, § 401). Explorando um pouco mais o simbolismo da *coniunctio* – a imagem da união de opostos que Jung descobriu ser a forma estrutural subjacente ao processo de transferência – e sua possível existência como *experiência* imaginal no aqui e agora, podemos compreender mais a atuação sexual na análise. Isso requer não apenas que partamos da análise de Jung, mas também que nos afastemos de algumas de suas conclusões.

Não devemos esquecer que *The Psychology of the Transference* constitui uma ramificação da grande obra de Jung, *Mysterium Coniunctionis* (ver Hannah, 1976, p. 198). Embora mal chegue a mencionar a palavra transferência, seu subtítulo –*An Inquiry into the Separation and Synthesis of Psychic Opposites in Alchemy*[3] – demonstra que *The Psychology of the Transference* lida implicitamente com esse fenômeno. Jung via a transferência como um processo no qual os opostos, tais como a *anima* do analista e o *animus* da analisanda, precisam ser separados, tirados do estado de *participation mystique* em que se encontram e então integrados à consciência do ego para, enfim, participar da formação da consciência de uma noção individual simbólica do *Self*.

Minha abordagem difere da de Jung de duas maneiras. Em primeiro lugar, a *coniunctio* não deve, a meu ver, ser entendida apenas como um fator de ordenamento inconsciente, parte de um processo arquetípico que, como afirma ele, "se desenrola geralmente sob a forma de sonhos e só é descoberto no decorrer da elaboração retrospectiva do material onírico" (1946, § 461). Ela deve ser vista também como uma experiência imaginal entre duas pessoas no aqui e agora. Isso pode ser esclarecido por meio de material clínico. Vivenciada no presente, a *coniunctio* cria aquela misteriosa qualidade, o parentesco, que, segundo Jung, está na raiz da transferência. A *coniunctio* gera parentesco de um modo mais intenso, integrado e transformador – quando realmente vivenciada na consciência e reconhecida como aquilo que é – do que quando faz parte de um processo inconsciente e mal chega a

---

[3] No Brasil, a obra foi editada em três volumes com os títulos: *Mysterium Coniunctionis Vol. 14/1: Os Componentes da Coniunctio; Paradoxa; As Personificações dos Opostos*; *Mysterium Coniunctionis Vol. 14/2: Rex e Regina; Adão e Eva; A Conjunção*; *Mysterium Coniunctionis Vol. 14/3: Epílogo; Aurora Consurgens*. Petrópolis: Vozes, 2011. (N. do E.)

ser percebida no aqui e agora. O que está por trás de grande parte da atuação sexual na análise é uma busca cega e compulsiva desta substância: parentesco ou *communitas*.

Em segundo lugar, conforme foi descrito no *Rosarium Philosophorum*, a meta do processo alquímico é o hermafrodita – para Jung, um produto final inatingível. Discordo dessa avaliação. Não é apenas a *communitas* que emerge no processo de transferência/contratransferência, mas uma nova e viável imagem hermafrodita de *Self*.

Em *The Psychology of the Transference*, Jung considera a imagem do hermafrodita, conhecida como Rebis, um produto lamentável do consciente subdesenvolvido do alquimista. Ele se justifica citando a falta de percepção do alquimista do fundamental processo psicológico da projeção, e vê essa imagem como derivada da "imaturidade do espírito do alquimista" e de sua falta de compreensão psicológica (1946, § 533). Por conseguinte, "a natureza não podia acrescentar nada, apenas constatava que a união dos opostos supremos é um ser híbrido. Assim sendo, a formulação ficou retida no sexualismo, como ocorre toda vez que a consciência não tem possibilidade de vir ao encontro da natureza" (1946, § 533). Ele prossegue em seu ataque à imagem da Rebis, observando que as coisas permaneceram assim até

> o final do século XIX, quando Freud desenterrou o problema. [...] O caráter sexual do inconsciente logo foi tratado com muita seriedade e elevado a um tipo de dogma religioso [...]. Inicialmente, o caráter sexual do símbolo hermafrodita dominou a consciência, gerando uma interpretação insípida como a do simbolismo do ser híbrido. [...] O caráter sexual desses conteúdos implica sempre uma identificação inconsciente do eu com uma figura inconsciente [...]. Isso faz com que o eu a um tempo deseje e seja obrigado a tomar parte no *hierosgamos*, ou pelo menos acredite tratar-se simplesmente de uma concretização

erótica. É evidente que esse aspecto se reforçará tanto mais, quanto mais nos persuadirmos e nos concentrarmos exclusivamente nele, deixando de lado os modelos arquetípicos [...]. Nunca encontrei o hermafrodita como figura da meta, mas sempre simbolizando o estágio inicial, isto é, como expressão de uma identidade com a *anima* ou o *animus*. (1946, §§ 533-35)

Baseando-se, como o faz, na meta alquímica da Rebis, *The Psychology of the Transference* é uma forte injunção contra a atuação sexual na análise. Resta saber se a visão negativa de Jung em relação à Rebis se deve à sombra problemática que esta constitui na análise. Por acaso não teria sua grande aversão à visão freudiana da sexualidade também contribuído para isso? Pois, ao que eu saiba, apenas nessa obra sobre a transferência a Rebis é vista como negativa. Em *Mysterium Coniunctionis*, não há nenhum julgamento desfavorável; na verdade, ela é até mesmo elogiada: aí a Rebis é vista como uma imagem da união paradoxal de opostos, do enxofre e do "humor radical", que são, como diz Jung, "os dois opostos mais potentes que se pode imaginar" (1955, § 337). Jung cita Dorn: "Tem dentro de si tanto a corrupção quanto a preservação contra a corrupção, pois, segundo a ordem natural, não existe nada que não contenha tanto o mal quanto o bem" (1955, § 337). Jung entende o símbolo alquímico da cauda do pavão – uma imagem da integração de todas as qualidades psíquicas – como uma representação da unidade da Rebis. E em *The Psychology of the Child Archetype*, a Rebis é vista não "como um produto de não diferenciação primitiva [...]. Pelo contrário, essa ideia vem repetidamente ocupando a imaginação humana em altos e, inclusive, nos mais altos níveis, da cultura" (1949, § 292). É só em *The Psychology of the Transference* que a Rebis é vista sob uma luz desfavorável. É provável que Jung visse tanto o risco da atuação sexual quanto a tendência a reduzir a psique a derivações do instinto sexual (como entendia a meta de Freud) como fatores que lhe exigiam uma definição totalmente contrária à imagem do hermafrodita. *The Psychology of the Transference* ocupa-se dos riscos dessa imagem. Enquanto objetivo natural, ela deve ser combatida pela consciência e compreensão das projeções. A obra inteira está repleta de preocupações éticas e interpretações moralistas de uma espécie inédita nas demais obras de Jung. Fordham (1974, p. 18), a meu ver com toda a razão, criticou o frequente recurso de Jung à moral nesse texto.

Sem dúvida, o hermafrodita pode ser uma imagem negativa muitas vezes encontrada no início do processo analítico. Ele pode, por exemplo, ser uma imagem do tipo de união que se forma entre analista e paciente, num processo dominado pela dissociação e pela identificação projetiva. Essas duas pessoas podem facilmente sentir-se coladas num só corpo afetivo, partilhando as mesmas emoções, enquanto cada uma mantém defesas e atitudes diferentes: um corpo, duas cabeças! Além disso, pode-se ver o *Self* hermafrodita como determinante da tendência do analista a atuar como se fosse completo, apesar de nossa "completude" ser na verdade uma coisa híbrida, constituída em parte pelas introjeções do paciente: somos dois, pensando que somos um. Nessa confusa mistura, é fácil fazermos interpretações parciais e acreditarmos que são procedentes. Explicamos a dinâmica ao paciente e ficamos surpresos ao descobrir seu efeito devastador, pois não conseguimos perceber que ela era apenas uma parte do ego que descrevíamos. Pressupomos, com a maior facilidade, que o paciente tem acesso a essas outras partes, embora elas estejam dissociadas e indisponíveis. Tais estados psicológicos podem dominar o processo de transferência/contratransferência: o *Self* que vivenciamos é muitas vezes um híbrido que contém partes nossas e partes do paciente. E este também se deixa dominar com facilidade por um estado híbrido semelhante.

O que descrevi até o momento foi a natureza híbrida de uma estrutura do *Self* que pode ser mutuamente dominante na análise por meio da *participation mystique*. O hermafrodita constitui, além disso, uma imagem apta da estrutura de *Self* de pessoas que sofrem de distúrbios narcísicos e de personalidade fronteiriça. Os últimos são especialmente conhecidos por seus mecanismos de dissociação, em que estados mutuamente excludentes coexistem sem afetar-se. Ou então afetam um ao outro totalmente: um paciente do sexo masculino pode sentir ódio em relação a mim e, no mesmo instante, expressar carinho, sem mudança de diapasão; caso se sinta jovem, uma mulher pode sentir-se sexualizada em relação a mim, mas completamente assexuada se sentir sua própria idade. Os dois estados existem simultaneamente, ambos definem a identidade e, juntos, são extremamente confusos – para nós dois. Cada um dos opostos parece ao mesmo tempo exaurir e incitar o outro. A identidade de sexo também é confusa. O *Self* é hermafrodita.

Em meio aos sentimentos caóticos e desesperadores que tal imagem de *Self* engendra, a tendência a atuar sexualmente aumenta, já que a sexualidade acena com a extraordinária promessa de unificar os opostos num todo harmonioso e cheio de significado, transformando-lhes a monstruosa condição híbrida. Não resta dúvida de que o hermafrodita é capaz de manifestar todo o seu perigo principalmente nos relacionamentos, convencendo-nos a crer que os atos sexuais (ou interpretações compulsivas) são atos do Verdadeiro *Self* que também têm poder de cura.

O aspecto negativo do hermafrodita é a sombra dominante da análise, e a atuação sexual é um de seus mais perigosos padrões de comportamento. Mas, como mostra Jung em outras obras, o hermafrodita não é apenas negativo; na verdade, ele pode constituir uma imagem altamente positiva. Creio que só entendendo isso conseguiremos ver o outro lado da atuação sexual: não um "lado bom", mas um aspecto que fornece um contexto no qual esse comportamento ganha um significado.

A atividade sexual pode ser interpretada de diversas maneiras. Ela pode ser vista através da lente das próprias neuroses infantis do analista, principalmente das decorrentes de mágoas edipianas causadas pela rejeição parental da sexualidade. Ela também é interpretada muitas vezes como uma tentativa de integração de setores esquizoides dissociados da psique, os quais contêm traços de sexualidade edipiana e pré-edipiana (estes dotados de energias sexuais arquetípicas ou impessoais), juntamente com intensas frustrações e angústia. Tudo isso é perigosamente liberado por meio do aspecto arquetípico negativo da Rebis. Mas a nossa compreensão da atuação sexual só se aproxima da completude, levando à transformação em vez de à repressão, quando entendemos a natureza positiva da Rebis.

Como mostra o texto do *Rosarium*, o processo arquetípico subjacente à transferência/contratransferência pode criar um *Self* hermafrodita. Ou seja, o processo de individuação, quando não primariamente experienciado como uma obra solitária de introversão, mas, sim, um processo conjunto com outra pessoa, pode criar uma estrutura hermafrodita de *Self*. Isso é bem diferente de outras descrições da meta, como o círculo, o quadrado, a mandala e a personalidade superior, sobre as quais recai a preferência de Jung em *The Psychology of the Transference* (1946, § 535). Essas imagens descrevem mais o *Self* individual, mas o hermafrodita, por sua vez, pode ser não apenas uma imagem individual, mas também um *Self* combinado. A Rebis representa uma realidade psíquica que pode originar-se da realização da *coniunctio* entre duas pessoas como ato imaginal. Essa realidade é vista por meio da imaginação que inserimos nessa extraordinária vinculação de almas, a *coniunctio*, e por meio da imaginação nascida dessa mesma união. A questão central é que, ao contrário do espírito em que o *Self* individual é considerado como a pérola de valor inestimável, pode criar-se um *Self* entre – e a partir de – duas pessoas sem o domínio de uma *participation mystique* negativa e sem que nenhum dos envolvidos perca sua identidade. Com o uso adequado da imaginação e a experiência integrada da sexualidade como campo de energia, duas pessoas podem vivenciar o *Self* e voltar a ele indefinidamente, assim como faz um indivíduo quando o *Self* é sentido como o centro consolidado da personalidade. Pode-se obter desse *Self* o mesmo espírito de elevação, a mesma ordem, sabedoria e gnose.

Mas há também diferenças significativas entre as duas experiências de *Self*. Podemos começar a compreender o que elas são refletindo sobre "O Novo Nascimento" mostrado no *Rosarium Philosophorum* (ver Figura 1), no qual a Rebis nasce e é representada pisando sobre a lua. Essa imagem refere-se ao domínio da realidade psíquica que Jung chamou de inconsciente somático, ou corpo sutil, em seus seminários sobre *Assim Falou Zaratustra*, de Nietzsche (1934, Parte 1, Palestra 4, conforme Schwartz-Salant, 1982, para um comentário mais detalhado). A partir da análise de Jung, somos levados a concluir que ela se refere

Figura 1. O Novo Nascimento.
(Corresponde à figura 10 do *Rosarium Philosophorum*; ver Jung, 1946, p. 307.)

também a uma experiência de sincronicidade, da qual a *coniunctio* seria exemplo primordial. A experiência da *coniunctio* entre duas pessoas é um ato de "graça" e, no entanto, seu produto imaginal – a imagem de um *Self* combinado, hermafrodita, percebida no espaço entre elas – pode constituir um ponto ao qual ocasionalmente se retorna. Aparentemente, podemos aumentar-lhe a probabilidade de recorrência por meio da técnica adequada, mas, apesar disso, estamos ainda lidando com fenômenos sincronísticos, e não com eventos determinados pelo ego. Isso diz respeito a uma das falácias da atuação sexual: ela é uma variante pobre da magia sexual no cenário que menos a pode tolerar.

O hermafrodita e a imagem do *Self* combinado nos ocuparão no restante deste ensaio. Por enquanto, porém, podemos considerar a outra questão na qual me vejo discordar da abordagem de Jung. A *coniunctio*, conforme vivenciada por duas pessoas, leva à liberação de uma forma especial de energia ou "substância", chamada de libido de parentesco, que é a essência da transferência:

> A libido de parentesco, que nas comunidades cristãs primitivas ainda criava um vínculo que satisfazia o coração, perdeu seu objetivo há muito tempo. Mas como ela é um instinto, nenhum substituto, tal como uma confissão religiosa, um partido, a nação, o Estado, a satisfazem. O que ela quer é o vínculo *humano*. É exatamente esse o núcleo do fenômeno da transferência [...]. (Jung, 1946, § 445)

Ela é uma busca inconsciente, e por isso compulsiva, da preciosa substância da *communitas*, cujo papel é fundamental na atuação sexual na análise. Sem subestimar as motivações decorrentes da sexualidade infantil reprimida de analista e analisando, sempre existe esse outro objetivo que responde pela entrega, pela irresponsabilidade, pela disposição para correr riscos e pela frequente e estranha sensação de estar sendo fiel ao próprio *Self* na atuação sexual: a libido de parentesco ou *communitas*, que, podendo ser liberada por meio da *coniunctio* imaginalmente vivenciada, é insensatamente buscada num ato sexual concreto. Meu principal argumento na exposição a seguir é que essa preciosa substância, assim como a estrutura de *Self* compartilhada entre duas pessoas que acompanha sua liberação, não pode ser entendida simplesmente como o resultado de um processo em grande parte inconsciente, análogo ao que existe entre mãe e filho, nem como a face inferior arquetípica de um relacionamento adulto. Além disso, mais uma vez contrariando a ênfase estrutural de Jung, a libido de parentesco liberada na *coniunctio* imaginalmente vivenciada é diferente da que é obtida por meio da integração de projeções no processo de transferência/contratransferência, a *Self* que nasce como uma realidade psíquica interior nem sacia o anseio pela *communitas* nem dá ensejo à experiência de *communitas* que subjaz à transferência/contratransferência. É a *coniunctio* mútua e imaginalmente vivenciada que nos permite captar a dinâmica da *communitas* e os aspectos arquetípicos que subjazem à atuação sexual na transferência/contratransferência.

A natureza da experiência da *coniunctio*: a liminaridade

O principal produto da experiência da *communitas* é uma relação Eu-Tu. Essa relação traz consigo um profundo sentimento de respeito mútuo, de igualdade e de interesse pelo outro, como se tivesse havido uma troca de sangue. O termo geralmente empregado para essa experiência é *communitas*. A *communitas* implica não apenas a estrutura de comunhão ou comunidade, mas também uma espécie de "substância", como se pudesse ser transmitida; ela não é uma realidade puramente física nem puramente psíquica, mas uma paradoxal combinação das duas coisas.

Essas constituem metáforas de uma experiência, e não meros conceitos ou abstrações. Elas tentam captar experiências que ocorrem num reino sentido como fora da noção normal de tempo e dentro de um espaço que parece possuir substância. Esse espaço, há muito definido como corpo sutil, apesar de existir graças à imaginação, possui autonomia. A *coniunctio* se processa nele. O *Rosarium Philosophorum* descreve os processos arquetípicos dos quais ela participa. Os eventos desse espaço, como os relativos ao átomo, têm suas próprias leis arquetípicas, mas quando as pessoas entram nele, com e por meio de sua imaginação, elas apreendem muitas vezes imagens distintas da *coniunctio*. Embora não sejam idênticas, tais imagens geralmente se complementam. Em sua discussão da imaginação em *Psychology and Alchemy* (*Psicologia e Alquimia*) (1953, § 360; ver também §§ 390-396), Jung as atribui à verdadeira imaginação, em oposição à imaginação fantástica. Liberada por meio da *coniunctio*, a experiência da *communitas* não é apenas pessoal nem apenas arquetípica, mas, sim, uma mistura inseparável de ambas as coisas.

Para fins de entendimento da base arquetípica da atuação sexual no processo de transferência/contratransferência, devemos considerar especialmente a natureza do reino transicional em que a *coniunctio* ocorre. Trata-se de um estado liminar.

O termo "liminar", tomado do estudo de van Gennep dos ritos de passagem (conforme Turner, 1974, pp. 131 e ss.), denota a fase intermediária desses ritos, que é precedida por ritos de separação (de um estado anterior) e seguida por ritos de reincorporação (em um novo *status* que integra os resultados da experiência liminar). A natureza passível de integração da experiência liminar está em sua essência. Para efeito de comparação, o uso frequente de drogas alucinógenas leva à liminaridade, mas raramente resulta em qualquer mudança estrutural positiva. Em vez disso, constitui em geral uma espécie de batismo de antiestrutura. Os produtos da liminaridade vivenciada nos ritos de passagem e na experiência da *coniunctio*, porém, remetem ao período pós-liminar.

Turner (1974) assim descreve o estado liminar: "Durante o período liminar, o estado do sujeito ritual [...] torna-se ambíguo, não está aqui nem lá, está entre todos os pontos fixos de classificação; ele atravessa um domínio simbólico que possui poucos ou nenhum dos atributos de seu estado passado ou futuro [...]. É na liminaridade que emerge a *communitas*" (p. 232). Turner cita um poema encantador, que capta o estado liminar:

> *If they see*
> *breasts and long hair coming*
> *they call it woman,*
> *if beard and whiskers*
> *they call it man;*
> *but, look, the self that hovers*
> *in between*
> *is neither man*
> *nor woman*
> *O Ramanatha.*

[Se há promessa de / seios e cabelos longos, / eles a chamam de mulher; / se de barba e costeletas, / eles o chamam de homem. / Mas, veja, o eu que paira / no meio / não é nem homem / nem mulher – / ó Ramanatha.]

Na experiência da *coniunctio*, muitas vezes as pessoas não se sentem nem masculinas nem femininas e o "eu que paira/no meio" pode ser hermafrodita.[4]

---

[4] O "eu que paira/no meio" é uma criação imaginal. O que está em jogo aqui é uma espécie de visão ou "vista" semelhante à imaginação ativa, mas é imaginação inflamada ou exaltada. Nas visões de Elêusis, os iniciados identificavam-se com Deméter, a qual pode ser parcialmente entendida como o inconsciente somático (Schwartz-Salant 1982, pp. 149-50). É uma forma particular de estar no corpo por meio da qual surge a imaginação. Como nos Ritos Eleusinos, que eram precedidos pelos Mistérios Secundários, de natureza dionisíaca, esse estado imaginal é alimentado

O relato de Turner menciona ainda as energias e estruturas que podem ser liberadas na experiência liminar:

> Em muitas mitologias, os deuses assassinam ou emasculam seus pais, casam-se com suas mães e irmãs, copulam com mortais sob a forma de animais e pássaros, ao passo que nos ritos que promovem a atuação de tais coisas, os imitadores ou representantes humanos imitam, simbólica e às vezes mesmo literalmente, essas amoralidades imortais. [...] [Pode haver] inclusive episódios de canibalismo simbólico ou real. [...] [Nos ritos liminares] há regularidades e repetições [que] não são ainda aquelas da lei e dos costumes, mas de desejos inconscientes que se opõem às normas das quais dependem historicamente os vínculos sociais – às regras da exogamia e da proibição do incesto.
>
> [...] [Nos ritos liminares há] certos símbolos-chave e atos simbólicos fundamentais [que são] "culturalmente destinados" a despertar uma enorme quantidade de afeto – mesmo que ilícito – só para vincular essa porção de afeto desprovido de qualidades morais à licitude e legitimação de metas e valores em fase posterior de um grande ritual. (1974, p. 257)

O estado liminar é aquele em que "simbólica e às vezes mesmo literalmente" as regras da exogamia e do incesto podem ser quebradas, para que as energias de "desejos inconscientes" sejam liberadas. Por meio dessas "amoralidades imortais", uma "enorme quantidade de afeto", de outra forma inacessível, é liberada. É a busca delusória,

---

pelas interações precedentes, que abrigam intensas energias eróticas, semelhantes às descritas em "O Rei e a Rainha" no *Rosarium* (ver Figura 5). Elas são preliminares à *coniunctio*. Esta sempre é um ato de graça, uma ocorrência sincronística que jamais pode ser forçada. Seria um grande erro pensar que alguma coisa no presente ensaio se refere à sedução ou magia sexual.

compulsiva e altamente inconsciente de tais energias que sempre constitui uma parte da atuação sexual na análise. Nos ritos primitivos, há sempre um cuidadoso controle por parte dos "mais velhos" e uma conscientização quanto à necessidade de entrar e sair do estado liminar com cuidado, para que a experiência não seja destrutiva e possa ser integrada à existência no tempo-espaço.

O *Rosarium Philosophorum* também descreve um "controle" necessário, mas aqui se trata de um poder arquetípico, a pomba que representa o Espírito Santo (Jung, 1946, § 419). Essa é a imagem dos resultados da *coniunctio* como uma *unio mystica*, a união da alma com a Divindade transcendente, que então forma um contraponto vertical para as energias liberadas nas uniões tântricas representadas por alquimista e *soror mystica*. O Espírito Santo também pode, naturalmente, representar a sabedoria eclesiástica. Como observa Jung, devemos reconhecer a necessidade de algum tipo de controle. No *Rosarium* ele provém do arquétipo do espírito. Nos estágios iniciais da formação da *coniunctio*, Eros sozinho não basta. Esse ponto é extremamente importante – ele corrobora a minha experiência de que a *coniunctio* é não apenas sexual mas também espiritual, e que sua existência frutífera se esvai ou leva ao desastre quando falta qualquer um desses aspectos. Com relação ao papel do arquétipo do espírito, é duvidoso que códigos éticos e preocupação com a situação analítica possam tomar-lhe o lugar. Eles podem evitar a ocorrência da atuação sexual na análise, mas podem também bloquear a ocorrência da experiência imaginal da *coniunctio*. "Uma mesma lei para o Leão e o Novilho é Opressão", como diz Blake (citado por Turner, 1974, p. 286), referindo-se a essa tirania moral.

Exemplo clínico

Venho atendendo Mary há quatro anos. Precisei de muito tempo para perceber sua profunda ligação espiritual, a qual tinha permanecido basicamente como uma questão particular entre seu ego e um setor esquizoide de sua personalidade. Durante as sessões, boa parte do tempo eu me via dissociado em função de minha contratransferência e do próprio processo de dissociação dela. Reiteradas vezes tomei nota desse comportamento até que gradualmente começamos a estar na sala, por assim dizer. Foi necessário fazer também um esforço considerável para analisar uma inflação secreta. Esta não coincidia com sua verdadeira ligação espiritual, mas consistia numa fantasia de poder na qual ela era a Primeira-ministra. Esse material esquizoide era bem disfarçado por sua *persona* e suas defesas de dissociação. Ela se desincumbia bem no terreno profissional, mas se queixava de relacionamentos insatisfatórios e de pouco reconhecimento profissional. Alguns meses antes das sessões que serão descritas a seguir, ela conseguiu dar expressão e vazão ao que pensava serem sentimentos muito negativos "sem a menor preocupação com seus sentimentos. Não ligo a mínima!", como ela mesma disse. Mary jamais dissera uma coisa assim a ninguém. Eu vi com alívio seu pretenso ataque, pois naquele instante, ela estava mais presente do que nunca. Eu vivenciara sua dissociação e retração como um tormento que muitas vezes me fizera sentir raiva.

Em seguida, faço uma breve retrospectiva da sessão que antecedeu aquela em que a *coniunctio* foi vivenciada. Eu me sentia totalmente desinteressado da paciente, estava meio entediado e tendia a perder a concentração e dissociar facilmente. Eu lhe disse isso e ela também admitiu estar dissociando.[5] Era-me difícil estar presente, e ela entendia, embora

---

[5] A descrição dessas sessões de imediato levanta diversas questões. É fácil considerar a dissociação da paciente como induzida por minha contratransferência. É possível também considerar a transformação da imagem do irmão sádico (discutida posteriormente) como uma simples afirmação da transferência, representativa da reação da paciente à minha atitude de não atacá-la com interpretações de sua dissociação. Também é natural indagar sobre os limites: seria toda aquela dissociação simplesmente o fruto de limites muito flexíveis de minha parte, de um medo de intrusão na paciente? Ou seria ela causada por um medo de ter limites pouco definidos e, assim,

apenas parcialmente, o quanto isso se ajustava às suas expectativas. Mas disse que o problema também era meu, pois às vezes achava não esperar que isso acontecesse, principalmente no início das sessões, quando eu tinha mais dificuldade em estar presente. Tentamos entender o que estava acontecendo. Eu tinha resistência; ela também.

Na sessão seguinte, Mary começou por dizer-me que sentira raiva a semana inteira desde a última vez que me vira. Voltou a afirmar que não havia esperado rejeição de minha parte na sessão anterior e acusou-me de estar dissociado e não ter interesse por ela. Ao contrário da sessão anterior, ela estava mais presente que nunca.

Mary falou então a respeito do irmão que, segundo ela própria, "sempre me massacrou, sempre me humilhou". De repente, vi com

---

de que o continente analítico não fosse seguro? Questões como essas surgiram quando apresentei este tema na Ghost Ranch Conference. Eu já estava bem consciente de sua existência enquanto trabalhava o material clínico. A abordagem de Goodheart (ver pp. 84-107 deste volume), que incorpora o método de Robert Lang, poderia ser associada ao meu próprio método com resultados bastante interessantes. Todavia, estamos lidando aqui com questões fundamentais, às quais não posso referir-me senão brevemente nesta nota, questões que se atêm diretamente ao sujeito da cura psicológica. Jung afirmou que o *numinosum* (1973, pp. 376-77) é o responsável pela cura na terapia. Muito se pode deduzir a partir da observação da interação clínica, principalmente dos efeitos destrutivos da dissociabilidade do analista. Porém, embora importante, esse tipo de abordagem pode provocar também um efeito negativo: considerar tudo que se dá a conhecer do paciente e entre o analista e o paciente como decorrência direta de alguma intervenção, interpretação ou comportamento do analista. Ela descura do poder curativo dos fatores não transferenciais, arquetípicos, levando-nos a empregar nossa atenção de um modo que não está em sintonia com os produtos simbólicos e numinosos da psique. Diante da raridade da presença dos últimos, principalmente na ocorrência sincronística da *coniunctio*, eles são ainda mais fáceis de passar despercebidos ou ser bloqueados. Portanto, embora eu possa refletir sobre meu comportamento neste caso e admitir a possibilidade de a paciente haver sido desfavoravelmente influenciada por mim de formas que me escapavam à percepção, ainda prefiro a abordagem que empreguei porque está em sintonia com o numinoso e não negligencia o fator da cura em favor de uma análise microscópica da interação analítica.

clareza; compreendi intuitivamente como seu ego se dissociou. Uma parte dele está unida ao espírito; a ligação entre ambos é remota, está longe do aqui e agora. Mas existe outra união, também dissociada, entre outra parte do ego e o irmão, que representa uma força persecutória interior. Ela concordou com essa interpretação e acrescentou: "Ele diz que não sou uma pessoa interessante, eu lhe dou razão e desisto de querer que alguém goste de mim. Tampouco tenho interesse em me comunicar com você". Ponderei que, na sessão anterior, carregava a introjeção de seu irmão e também reagira de maneira neurótica à sua resistência a estabelecer comunicação comigo. Reagira esquivando-me, em resposta ao que experimentara como sendo sua atitude esquiva em relação a mim. Enquanto discutíamos essas projeções, ela lembrou que, quando estava com raiva, meses antes, fora bom não ter de se importar com meus sentimentos. Eu lhe disse que sentia sua presença quando ela sentia raiva. "Na última vez, vivenciei você como uma espécie de juiz, um juiz como Hades", disse ela. Explicou que, quando começava a sentir-se jovem interiormente e a viver sua criança interior, eu a criticava, principalmente quando ela criava problemas de relacionamento. Julguei que compreendia a metáfora de Hades, pois costumo sentir um acúmulo de energias internas que a querem invadir, "empurrar-lhe uma interpretação goela abaixo".

Continuamos nesse ritmo, tentando separar as projeções da realidade. De repente, numa espécie de revelação espontânea, percebi que outro elemento dominava sua relação com o irmão: havia um vínculo incestuoso. Contei-lhe essa minha hipótese e ela disse ser capaz de sentir sexualidade em relação ao irmão. Essa era uma experiência nova. Ela então mencionou um homem de quem não gostava e acrescentou que nele não havia sexualidade, mas apenas sadismo distante. Considerei esse comentário uma injunção especial que não devia ser descartada.

Nesse momento, algo incomum aconteceu. Ciente do vínculo incestuoso que havia entre Mary e o irmão, senti a presença de um campo de energia erótica entre nós. Ela também o sentiu. Enquanto ambos sentíamos essa energia, que parecia algo que existia entre nós, minha consciência reduziu-se um pouco e, exatamente como na imaginação ativa, vi uma imagem bruxuleante que participava de nós dois elevar-se de onde estava, perto do chão. Eu lhe contei isso e ela disse: "Sim, também a vejo, mas tenho medo dela". Continuei descrevendo o que via e sentia. Eu via a imagem entre nós como branca; ela a via como uma espécie de fluido que possuía um centro. Disse que, se voltasse ao seu corpo, a intensidade seria demasiada e tinha medo. Declarou que, naquele instante, sentia-me como seu amigo, que tinha a sensação de uma relação Eu-Tu e que jamais tivera uma experiência assim. Disse que tinha medo e sentia-se como se estivesse fugindo. Respondi que ela só precisava voltar, baixar ao próprio corpo. Uma sensação de atemporalidade permeava tudo; eu não sabia se um minuto ou vinte haviam transcorrido. Ela estava preocupada com a sessão seguinte. O que faria se essa experiência não se repetisse? Mary disse sentir que eu era extremamente poderoso e sensual, mas pela primeira vez isso não a amedrontava porque também sentia igualdade. Sentíamos claramente uma espécie de parentesco, um sentimento como de irmão-irmã. E de fato *havia* um impulso para a atualização sexual, para a união física, mas essa tendência continha em si mesma sua própria inibição, como se o campo de energia entre nós oscilasse, separando-nos e reunindo-nos ao ritmo de uma espécie de onda senoidal. Isso atingiu o máximo de clareza quando deixamos que nossa imaginação *visse* o outro. Evitando *ver*, a percepção da dinâmica e das inibições presentes na experiência tende a obscurecer-se. Mary reconheceu nessa experiência a *coniunctio* e chegou a comentar também que ela estava se processando no corpo sutil. Essa consciência é típica da natureza "produtora de gnose" da experiência da *coniunctio*.

A sessão chegou ao fim. O sentimento de parentesco liberado por essa união foi potente. Ele não só criou entre nós um laço que parecia de parentesco, como numa relação de consanguinidade, mas também provocou uma impressionante transformação na vida interior de Mary. Na sessão seguinte, ela contou um sonho no qual, pela primeira vez, o irmão aparecia como uma figura positiva, que a ajudava a aprender uma matéria na qual sempre tivera dificuldade. Vi muitas vezes esse tipo de resultado: após a experiência da *coniunctio*, ocorre uma transformação das figuras sádicas de *anima* ou *animus*.

A transferência/contratransferência arquetípica

A experiência da *coniunctio* corresponde a "A Conjunção" no *Rosarium Philosophorum* (ver Figura 2). Nas sessões subsequentes à experiência que vivi com Mary, sobreveio uma depressão, representada pela "Morte" no *Rosarium* (ver Figura 3). Aparentemente, isso é o que sempre ocorre após a *coniunctio*. Mas a depressão, ou estado de *nigredo*, que ocorre

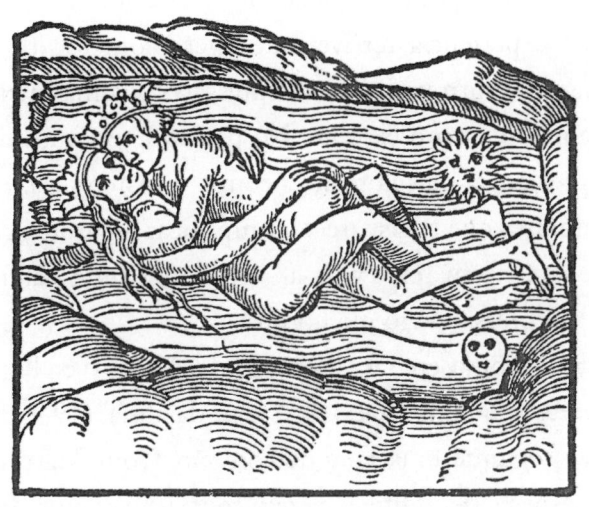

Figura 2. A Conjunção.
(Corresponde à figura 5 do *Rosarium Philosophorum*; ver Jung, 1946, p. 249.)

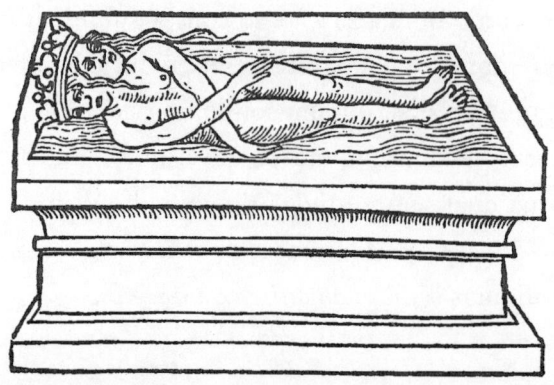

Figura 3. Morte.
(Corresponde à figura 6 do *Rosarium Philosophorum*; ver Jung, 1946, p. 259.)

não é uma regressão a estágios anteriores da análise; em vez disso, persiste um sentimento de propósito ou finalidade no processo iniciado pela *coniunctio*.

Aqui a amplificação, conforme a descreve Jung, é bem pertinente (1946, § 478). Mary, por exemplo, deprimiu-se muitas sessões depois. Relatou uma experiência terrível que tivera com um tio. Principalmente no caso de introvertidos, a depressão costuma iniciar-se nesse momento por um evento externo. No passado, teríamos de trabalhar com essa experiência ou sua relação com a transferência. Agora é necessário lembrar o que transparece e amplificar a natureza arquetípica do processo, aqui com referência ao estudo de Jung das imagens do *Rosarium*. A depressão logo melhorou.

Além disso, como em "A Ascensão da Alma" (ver Figura 4), que Jung descreveu como um estado de "perda da alma" (1946, § 477), surgiu na sessão seguinte uma falta de conexão. Com Mary, ela foi leve, apenas uma espécie de indiferença que contrastava muito com a experiência da *coniunctio*. Já vi outros casos em que ela se fez acompanhar de processos intensos, inclusive transferências psicóticas. Antigas formas

Figura 4. A Ascensão da Alma.
(Corresponde à figura 7 do *Rosarium Philosophorum*; ver Jung, 1946, p. 269.)

de sedução, experiências de estupro, riscos sentidos como originários do inconsciente dos pais e, principalmente, experiências relativas à rejeição precoce das energias dionisíacas do paciente; tudo clama por atenção nesse momento. Podem emergir fortes transferências negativas que às vezes desaparecem rapidamente; outras vezes, nem tanto.

Contrariando totalmente as expectativas de que a experiência da *coniunctio* possa ser uma espécie de conspiração ou sedução que impede a transferência negativa, ela costuma trazer em sua esteira a emersão das mais intensas transferências negativas. A *coniunctio* e a profunda sensação de parentesco que ela libera aparentemente formam uma espécie de representação arquetípica daquilo que se conhece como aliança terapêutica, mas a confiança liberada pela *coniunctio* é muito mais intensa que essa aliança. Com o aumento da confiança e o refreamento que decorrem da *coniunctio*, aparentemente se pode arriscar mais – por exemplo, aspectos da psique que sofrem pouco controle (isto é, partes sobre as quais o *Self* ou a impressão do *Self* não operam). Eles podem então entrar na análise e ser trabalhados.

A *coniunctio* é uma experiência extraordinária e invulgar. Apesar de ser de longe uma exceção ao que geralmente ocorre no processo analítico, ela existe. Quando ocorre, cura feridas muito antigas, em especial as do incesto, bem como os excruciantes ataques psíquicos a que está sujeita a criança quando emerge a sexualidade. Tais traumas são sentidos como ataques de Deus. Embora geralmente provocados pela intervenção pessoal de um dos pais ou por uma traição, os ataques contra as fantasias e atos incestuosos na infância são tidos geralmente como impessoais e requerem cura pessoal assim como arquetípica.

A possibilidade de ocorrência da *coniunctio* no aqui e agora e de que tal ocorrência tenha efeitos curativos é o motivo que está por trás de boa parte da atuação sexual. Esse comportamento pode ser visto como uma espécie de magia sexual forçada, derivada da mescla de partes dissociadas das psiques de analista e analisando com fatores arquetípicos. Se a *coniunctio* não existisse e não pudesse promover a cura, duvido que a atuação sexual ocorresse e representasse tamanho problema.

Embora a energia de incesto – a tendência endogâmica da psique, como a chamava Jung – não domine a *coniunctio*, ela é parte do meio. A energia do incesto, que é um afeto dionisíaco jamais apropriadamente recebido na infância, é então vivenciada com um "irmão" ou "irmã" com o sublime intuito de criar parentesco. De certa forma, "o complexo cura o complexo". A energia de incesto, talvez mais apropriadamente chamada de energia dionisíaca, ganha um continente adequado na *coniunctio* analítica. De certa forma, o incesto é cometido no plano do corpo sutil; não é sublimado em coisas do espírito nem reprimido, e é por isso que a *coniunctio* sempre tem algo de constrangedor. Mas as questões relativas ao incesto, derivadas do passado dionisíaco da criança, são apenas parte da realidade mais ampla da experiência da *coniunctio*. Essa experiência possui um efeito transformador de amplo espectro. Já mencionei a mudança que pode ocorrer naquilo que antes consistia em figuras sádicas interiores. Outra possibilidade está no nascimento do ego. Quando essa experiência se verifica com alguém que tenha uma falsa estrutura de personalidade do *Self* – por exemplo, alguém com características fronteiriças –, ela pode ter o efeito de facilitar o nascimento, ou aquilo que Fordham (1957, p. 117) chamaria de deintegração, do ego.

Mais uma observação acerca das energias de incesto: se elas não estiverem disponíveis devido a fortes repressões edipianas ou à dominância de defesas pré-edipianas controladas por mecanismos de dissociação, a probabilidade de ocorrência da *coniunctio* é menor. Tais

Figura 5. Rei e Rainha.
(Corresponde à figura 2 do *Rosarium Philosophorum*; ver Jung, 1946, p. 213.)

energias são representadas no *Rosarium* (Jung 1946, §§ 410-49) por "Rei e Rainha" (ver Figura 5). Essa não é a imagem da *coniunctio*, a qual está representada em "A Conjunção" (ver Figura 2), mas, a menos que as energias de incesto daquilo que Jung chamou de "caminho da mão esquerda" estejam disponíveis à consciência, a transferência arquetípica só atingirá parcialmente seu potencial e raramente levará à *coniunctio* com outra pessoa. A necessidade de que a libido de incesto participe do processo de transformação que leva à *coniunctio* é um fator importante na atuação sexual, que pode ser uma tentativa inconsciente de aumentar essas energias. À parte os efeitos destrutivos que geralmente sobrevêm, trata-se de alquimia pobre.

A *coniunctio* pode formar-se de diversas maneiras e cada exemplo tem diferenças significativas. Às vezes, é paradigmática a ilustração do *Rosarium* posterior à verdadeira *coniunctio*, a qual mostra os dois amantes alados (ver Figura 6). Ela representa uma experiência na qual

Figura 6. A Conjunção.
(Corresponde à figura 5ª do *Rosarium Philosophorum*; ver Jung, 1946, p. 251.)

ambos os participantes têm a sensação de estar suspensos, flutuando. Enquanto eles continuarem a ser veículos de energias espirituais e eróticas que se intensificam à medida que cada um *vê* imaginalmente o outro de forma mais profunda, a *coniunctio* entre eles aumentará, permitindo-lhes vivenciar uma sensação como o flutuar.

A *coniunctio* também pode ser experienciada sem um encontro direto, cara a cara. É possível que duas pessoas vivenciem entre si o fluxo de uma espécie de corrente, um fluxo que traz em si mais que erotismo, mesmo durante uma sessão por telefone.

Um exemplo disso está no relato que uma paciente fez de um sonho numinoso com imagens tântricas: neste, um jovem andrógino atingia o orgasmo e respingava sobre ela um fluido dourado que, contudo, percorria um círculo que parecia autorrenovador. Enquanto o sonho era contado, uma *coniunctio* se fazia sentir entre nós dois, a qual tinha a mesma característica de partilha de experiências imaginais "que ocorriam no espaço entre nós" que a verificada no caso de Mary. Essa *coniunctio* era uma união muito diferente do vínculo de transferência/contratransferência que por meses havia dominado nosso trabalho, encontrando seu principal foco num complexo de Édipo ativado na transferência. Agora, havia uma diferença qualitativa proveniente de um elemento arquetípico. Como de hábito, ela se fez seguir de um estado de *nigredo*, uma aparentemente inexplicável queda em depressão. Após uma experiência de *coniunctio*, essa depressão se compõe de complexos pessoais anteriormente não integrados ou apenas parcialmente trabalhados. Nesse caso, consistiam em qualidades hostis derivadas da falta de reação do pai da paciente à sua sexualidade e uma convicção de que eu me comportaria da mesma forma. Todavia, nesse momento a análise redutiva não foi necessária. Um processo com meta própria havia sido fortemente constelado e era suficiente lembrar a experiência da *coniunctio* e amplificá-la com relação às imagens do *Rosarium* para conter a depressão e retomar a conexão sentida entre nós. Nesse processo, a paciente pôde aceitar prontamente o material de sua própria sombra, o conteúdo de sua depressão; assim, esta cedeu.

Como no caso de Mary, seguiu-se o estágio denominado no *Rosarium* de "Ascensão da Alma" (ver Figura 4). Havia entre nós uma espécie de indiferença na sessão por telefone que tivemos em seguida, que continha elementos pré-edipianos de natureza narcísica anteriormente não integrados. Porém, mais uma vez, a tarefa essencial era a referência ao processo que estava ocorrendo entre nós no aqui e agora, e não a análise redutiva. Aparentemente, o papel do analista nesse momento é, em grande medida, o de relembrar, algo que se torna difícil diante dos afetos depressivos e da identificação projetiva. Eu acrescentaria também que, às vezes, é a contratransferência do analista, e não a transferência do paciente, que reflete a "perda da alma" de que fala Jung. Às vezes, um paciente volta depois de uma experiência de *coniunctio* e se mostra muito solícito e dedicado, enquanto o analista se retrai, com a alma distante daquele encontro. Esse comportamento pode magoar profundamente o paciente. Em decorrência da *coniunctio*, porém, as pessoas muitas vezes se defendem e logo denunciam o problema do analista de maneiras antes inacessíveis ao ego.

Fiz questão de referir a possibilidade de a experiência da "perda da alma" estar presente na contratransferência do analista porque ela é um fator clínico importante. No caso dessa sessão por telefone, isso não foi o problema. Eu lembrava da *coniunctio* e fiz a paciente lembrar-se dela também. Com isso, a indiferença se dissipou e as questões narcísicas, principalmente a preocupação com a aparência, puderam ser prontamente integradas.

Chamei a atenção para a importância da disponibilidade de energias sexuais para a experiência da *coniunctio*. E o fiz porque a forma de *coniunctio* de que estou falando é a que ocorre com outra pessoa e nela a sexualidade é extremamente importante. Mas de igual importância é o espírito. Todas as pessoas com quem vivenciei a *coniunctio* viam a espiritualidade como essencial ao significado da vida. Não me deterei nesse aspecto aqui porque meu foco está na atuação sexual – assim, me concentrarei na sexualidade na *coniunctio*. Mas esse foco é parcial. A experiência da *coniunctio* não é apenas sexual, mas também espiritual, e sintetiza esses opostos. Peço desculpas por essa unilateralidade, que pode ser mais sentida especialmente pelas mulheres, para as quais, como diz Jung (1961, p. 387), a sexualidade é muito mais espiritual que para os homens, que a consideram um instinto mais mundano.

A liminaridade e a abordagem de Jung à transferência

Jung recorreu bastante à ética e à moralidade em sua análise da transferência, mas crucial em sua abordagem é a absoluta necessidade de tratar como projeções a intensa transferência de energia e as mudanças estruturais do processo de transferência. Seu modelo para lidar com aquilo a que se refere como tendência endogâmica, incestuosa – a libido de parentesco – é uma variação da assim chamada abordagem primitiva conforme ele a entende (1946, §§ 431-49). As tendências que abolem estrutura na união incestuosa (endogamia) e a criam por meio de representações coletivas de ordem (exogamia) equilibram-se mutuamente. Jung descobriu que a estrutura interior precisa ser criada e então dirigida de volta ao parentesco e ao relacionamento com os outros. Ele afirma que a libido de parentesco, sendo um instinto, quer "o vínculo *humano*. É esse exatamente o núcleo do fenômeno da transferência, que é impossível eliminar, porquanto a relação com o Si-mesmo é ao mesmo tempo a relação com o próximo. E ninguém se vincula com o outro, se antes não se vincular consigo mesmo" (1946, § 445). Em *The Psychology of the Transference*, a ênfase recai primeiramente em criar uma estrutura interna de *Self* pela retomada das projeções e, em seguida, em estabelecer relações. Isso é exagero de minha parte, pois Jung certamente também inclui a reciprocidade nesse processo. Mas minha intenção é enfatizar aquilo que considero crucial à nossa compreensão do processo de transferência/contratransferência. A libido de parentesco não é nem liberada nem saciada da forma que Jung sugere. A *coniunctio* imaginalmente vivenciada, que surge do inconsciente e que é descoberta (geralmente depois) em sonhos, torna-se consideravelmente pálida quando comparada à sua vivência na realidade do aqui e agora. Sua ocorrência é sincronística, é um ato de graça. Apenas se compreendermos seu potencial de simultaneamente dissolver e criar estrutura num espaço fora do tempo que conduz de volta ao tempo poderemos captar o fascínio da atuação sexual na análise. Com isso, poderemos também captar melhor o lastro arquetípico desse comportamento.

A abordagem de Jung, que prioriza claramente a criação de estrutura interior conforme o modelo de retomada das projeções para só depois retornar às necessidades do parentesco, é talvez uma abordagem aparentemente cautelosa das energias arquetípicas da *coniunctio*. Mas ela tem suas desvantagens: por um lado, enfraquece a natureza da liminaridade e seu mistério; por outro, reduz perigosamente seu precioso produto – a *communitas* – a apenas um objeto torturante. De certa forma, Jung abriu a porta para o mistério arquetípico do processo de transferência/contratransferência e de repente a fechou. Para ver isso, considere-se o tratamento dispensado por ele ao "Rei e Rainha" do *Rosarium* (ver Figura 5).

Há um "contato sinistro" de mãos esquerdas, mas o segredo, segundo Jung, está na união das mãos *direitas*, pois, como mostra a gravura, ela é mediada pelo *donum Spiritus Sancti* (1946, § 411). Isso indica a necessidade de um vínculo espiritual, transcendente, para evitar a atuação sexual, à qual o contato "sinistro" pode levar. Em seguida, ele faz uma curiosa afirmação: o tântrico caminho da mão esquerda é o caminho do "espírito inferior [...] [do] homem primordial de natureza hermafrodita, preso dentro da *physis* [...]. [...] É a totalidade do homem, situada além da separação dos sexos [...]. A revelação desse sentido superior vem resolver a problemática criada pelo contato suspeito da mão esquerda" (1946, § 416). E prossegue: "A revelação do Anthropos não está associada a nenhuma emoção religiosa comum; ela significa o mesmo que a visão de Cristo para o cristão. Todavia, ela não surge *ex opere divino*, mas, sim, *ex opere naturae*; não de cima, mas da transformação de um fantasma do Hades, aparentado com o próprio mal e portador do nome do deus pagão da revelação" (1946, § 416). Assim, o contato mais sagrado e espiritual com o *numinosum*, a experiência de ascensão da *unio mystica*, é substancialmente identificada à experiência do Anthropos. O caminho é distinto, mas as mesmas energias estão em jogo. E fica claro que Jung reconhece que um não pode substituir o outro – ambos são necessários. Em tais amplificações, ele abre a porta aos níveis arquetípicos do processo de transferência/contratransferência.

De acordo com a minha experiência, as mulheres, particularmente, conhecem as energias dionisíacas que provêm da natureza como uma transformação das profundezas mais sombrias e misteriosas. Mas percebi que, muitas vezes, embora possa conhecer profundamente essas energias, a mulher pode já ter quase desistido de jamais vivenciá-las de um modo bom, criativo. Recentemente, ao sentir tais energias despertando numa mulher, abordei a questão empregando o termo sexualidade para descrevê-las. Ela o rechaçou dizendo: "Isso não é sexualidade, sou eu!". As mulheres frequentemente se dissociam desse plano devido a um grande medo de que nada a não ser a rejeição venha em seguida. Mesclado a ele, está o medo da agressão verbal ou física. É também muito comum uma mulher recear que tais energias sejam psicóticas, pois assim foi ela própria rotulada sempre que tais energias se deixaram entrever. E, para citar mais uma situação comum, a mulher costuma esconder essas energias com defesas dissociativas até de si mesma, por temer que a psicologia patriarcal as reduza a componentes infantis incestuosos. Creio que a má utilização das energias de Hades ou Plutão por parte dos homens contribui mais para a descrença feminina dos sistemas psicológicos masculinos que qualquer outro fator. Isso porque a mulher conhece perfeitamente – em geral muito mais que o homem – a natureza transformadora, propícia à vida e ao mistério, dos Deuses e Deusas do mundo subterrâneo.

Depois de mencionar o Anthropos e descrever as profundezas numinosas que podem revelar-se, frisando sua grande semelhança às revelações espirituais que vêm do alto, como no caso da cristandade, Jung rapidamente abandona essa potencial heresia em favor de uma análise estrutural – deixa de lado os contatos de destras e sinistras e, principalmente, o caminho da mão esquerda, e passa à necessidade de integrar questões como as projeções de *anima* e *animus*. E assim perdemos o Anthropos, os Deuses do mundo subterrâneo, Dioniso e Hades.

Jung propõe a seguinte descrição das possíveis relações entre um homem e uma mulher:

a) uma relação pessoal, sem complicações;
b) uma relação do homem com sua *anima* e uma relação semelhante da mulher com seu *animus*;
c) uma relação da *anima* com o *animus* e vice-versa;
d) uma relação do *animus* feminino com o homem (que ocorre quando a mulher se identifica com o *animus*) e uma relação semelhante da *anima* masculina com a mulher (que ocorre quando o homem se identifica com a *anima*). (1946, § 423)

Nós só recuperamos o Anthropos e o ser hermafrodita quando acrescentamos uma quinta relação. Esta se baseia na percepção por parte da mulher de um *animus* interior, por meio do qual ela se transforma num canal de energias dionisíacas, que oferece ao homem; ele, por sua vez, cônscio de sua *anima* interior, é um receptor das energias "dela" e as devolve, agora ligadas ao espírito desta, à mulher. Num certo sentido, o estado da mulher é Yang, dentro do qual reside um elemento Yin, e o homem é mais Yin, com o aspecto Yang por dentro. Cada um deles é liberado para o outro. Essa configuração é, portanto, o oposto do estado concreto das coisas.

Esse quinto tipo de relação ocorre na *coniunctio* imaginalmente vivenciada entre duas pessoas e descreve a natureza de sua sexualidade. Uma coisa necessita menção específica: como sua sexualidade é geralmente mais ativa, ou ao menos mais desencadeante, a mulher pode ser vivenciada pelo homem como uma mãe fálica. Em contrapartida, ele pode ser vivenciado como o pai dela antes do trânsito edipiano, num estágio em que ela permitia que essas energias se dirigissem a ele para muitas vezes ser negadas ou sofrer abuso psíquico. Como mãe fálica, a mulher pode constelar as experiências pregressas de intrusão e estupro psíquico de um homem. Assim, as energias da *coniunctio* despertam questões pré-edipianas. Entretanto, a busca de sua vivência é fortemente motivada pela cura que somente ela pode trazer a essas camadas da psique. Não são poucos os exemplos de atuação sexual que resultam do fato de um analista perceber as energias dionisíacas da mulher e inconscientemente desejar redenção por meio delas. Aqui, uma variação particularmente repulsiva da sombra do *trickster* ocorre quando o homem se arroga a posição de iniciador da mulher, quando na verdade é ela quem o está iniciando.

No quinto tipo, a relação que esbocei, as projeções adquirem uma nova realidade exterior. De certa forma, ela constitui um retorno ao animismo no nível psicológico. Essa relação foi prefigurada por Ferenczi e defendida por Norman Brown em *Life Against Death* (1959,

p. 315). Aqui mais uma vez a "matéria" ganha vida própria – o que, na verdade, não está longe da postura de Jung, conforme atestam seus escritos e várias histórias anedóticas a seu respeito. No entanto, permaneceu como uma possibilidade que ele deixou ao alcance da mão em *The Psychology of the Transference*.

Deve-se observar que, ao longo de sua análise das imagens da alquimia presentes no *Rosarium* e em outros textos alquímicos integrantes de seu estudo da transferência, Jung (1946) sempre vê no corpo o símbolo de outra coisa. O corpo pode simbolizar a antiga personalidade (§ 478), a Grande Mãe (§ 480), um estágio no qual os conteúdos da psique devem tornar-se "realidade" e voltar-se para o comportamento (§ 486), um estágio no qual o *Self* consolidado deve unir-se ao sentimento nos relacionamentos (§§ 489-91) ou o ego (§ 501). Embora em outras obras Jung se mostre aberto à ideia de um corpo sutil de natureza em parte física, em parte psíquica, e até demonstre domínio dessa ideia em seus seminários sobre Nietzsche (1934-1939, Parte 3, Palestra 8), em *The Psychology of the Transference* ela é tomada como exemplo da mente imatura do alquimista (1946, §§ 498-99). Essa perda do corpo e do corpo sutil é o preço pago pela segurança do caminho da análise projetiva. Trata-se de um caminho que tende a dissociar mente e corpo e vai de encontro à própria natureza da liminaridade. Creio que ele tende também a frustrar a *communitas*.

Muitas vezes não temos de impor estrutura, tampouco trabalhar a partir de um modelo de projeção para criação de estrutura psíquica. A sabedoria pode emergir da *coniunctio*, e nessa sabedoria e em seu espaço sagrado muito se pode integrar (Turner, 1974, pp. 266-67). Isso ocorre não por meio de interpretações da transferência e da resistência, que são parte importante do estado pré-liminar, mas por meio da simples reflexão dentro do contexto mais amplo da transferência arquetípica e sua imagem central, a *coniunctio*.

Mais reflexões e algumas conclusões

Durante os últimos anos, registraram-se inúmeros pronunciamentos importantes acerca do risco à terapia e do abuso à alma causados pela atuação sexual na transferência/contratransferência. Além disso, a publicação de inúmeras biografias de Jung com foco nesse tema, principalmente a dos diários de Spielrein, contribuiu ainda mais para trazer essa questão à baila. Neste ensaio, empreendi a tentativa de compreender o lastro arquetípico da atuação sexual porque pressinto que nela há muito mais do que problemas referentes simplesmente à falta de controle de impulsos, à agressividade indômita e às fantasias de invulnerabilidade narcísica do analista ou à sua sede de integração de setores esquizoides, carregados de energia e rendidos à sedução do mistério da sexualidade e ao sombrio fascínio do *Self* hermafrodita. Também há mais em jogo que o espantoso poder residual das feridas decorrentes de ataques pessoais e arquetípicos contra desejos incestuosos na infância, feridas que o analista tentaria curar no útero de sua paciente. Além desses fatores, há a inveja da cena primal, a qual, como esclareceu Melanie Klein, pode derivar de uma fantasia infantil de privação/exclusão de uma união extática que é então transferida para a união entre os pais e lá supostamente permanecerá, para sempre inatingível. A excitação que geralmente precede a atuação sexual e dela deriva, a compulsão e o vazio que geralmente se seguem, o desespero e o sadismo que ela desencadeia pela retração comumente fria e narcísica do analista, são todos obra da inveja da cena primal. Não devemos deixar de observar também que a *coniunctio* pode ser assimilada e usada num complexo negativo da mãe. Um déficit na união mãe-filho, principalmente a falta de uma simbiose positiva, pode levar ao tipo de comportamento autista que tantas vezes faz parte da atuação sexual, quando a consciência simbólica desaparece.

O próprio ato da psicoterapia – que é um estranho esforço de duas pessoas para constelar mutuamente o inconsciente – tem um fantástico potencial de cura, juntamente com um risco intrínseco. A preocupação com esse risco determinou em boa parte a nossa abordagem da transferência. Expliquei o quanto Jung considerava negativa a imagem do *Self* hermafrodita em sua obra sobre a transferência. Também mostrei o quanto sua atitude é mais contrária ao corpo em *The Psychology of the Transference* que em qualquer outra obra. O medo provocado pelo potencial da sombra leva facilmente a uma perda do corpo, da sexualidade e da beleza de uma imagem conjunta, hermafrodita, de *Self*.

É razoável supor que, em função de nossa herança arcaica, estejamos todos equipados para atos liminares. Somos responsáveis por experiências arquetípicas e estamos sujeitos a elas, nas quais atos liminares como a atuação sexual têm um contexto positivo no rito e no ritual. Precisamos, portanto, ter em mente a potência dos mecanismos de liberação da experiência liminar. Além disso, é altamente questionável a possibilidade de os seres humanos atingirem plenamente o seu potencial sem a experiência liminar. Devemos refletir sobre o ato da atuação sexual contra esse pano de fundo arquetípico do qual ao menos em parte – e creio que em grande medida – ele deriva.

A atuação sexual na psicoterapia é ofensiva à alma. Mas evitar a liminaridade à qual a *coniunctio* da transferência/contratransferência pode conduzir é também uma traição. Precisamos educar-nos para a natureza imaginal da *coniunctio* para podermos integrar essa sombra à nossa profissão. Só então teremos uma chance de transformar, em vez de reprimir, e só então respeitaremos o mistério de sexualidade e espírito, corpo e alma.

Para vencer o desafio da *coniunctio* e da liminaridade, precisamos desenvolver a imaginação, que é a capacidade, como disse Blake, de "ver através de nossos olhos e não com eles" (Domrosch, 1980, p. 15). Na análise somos exortados a desenvolver essa faculdade de forma expressiva com outra pessoa.

Se pudermos alcançar a integração do lado escuro da *coniunctio* – isto é, se conseguirmos vivenciar a tendência à atuação sexual e reconhecer-lhe o valor como sinal de que as energias necessárias à *coniunctio* ainda não estão suficientemente consteladas e certamente não integradas –, não precisaremos tomar injunções de ordem moral como diretrizes. Se desenvolvermos nossa imaginação no aqui e agora de forma expressiva com outra pessoa, ganharemos a capacidade de ver imaginalmente as imagens da *coniunctio* num espaço entre nós e o outro e também de saber quando ela *não* está presente, ou pelo menos não se nos deixa ver. Desse modo, a sombra pode tornar-se uma aliada.

Um último ponto. A libido de parentesco que Jung considera um instinto vai além da psique individual. Ela requer mais que o relacionamento entre indivíduos: ela requer comunidade. É provável que as energias da *communitas* só possam ser abordadas com segurança e sanidade quando houver senso de comunidade. Talvez nossos encontros imaginais na terapia liberem a *communitas* que engendrará a comunidade que precisamos, a qual talvez possa por si só nivelar-nos como irmãos e deter a feia onda de busca narcísica de poder. Talvez essa comunidade seja capaz de alimentar a alma de tal forma que a atuação sexual possa ser vista, em relação ao contexto de necessidade de *communitas*, como simplesmente um ato insensato.

Referências

BROWN, N. 1959. *Life Against Death*. Middletown, Conn.: Wesleyan University Press.

DOMROSCH, L. 1980. *Symbol and Truth in Blake's Myth*. Princeton: Princeton University Press.

FORDHAM, M. 1957. *New Developments in Analytical Psychology*. Londres: Routledge and Kegan Paul.

FORDHAM, M. 1974. "Jung's conception of transference". *The Journal of Analytical Psychology* 19/1:1-21.

HANNAH, B. 1976. *Jung: His Life and Work.* Nova York: G. P. Putnam's Sons.

HENDERSON, J. 1982. "Countertransference". *The San Francisco Library Journal* 3:48-51.

JUNG, C. G. Psychological analysis of Nietzsche's Zarathustra. Anotações inéditas de seminário. Gravado e mimeografado por Mary Foote.

JUNG, C. G. 1946. *The Psychology of the Transference.* In: *Collected Works*, 16:163-323. Princeton: Princeton University Press, 1966. [*A Prática da Psicoterapia – Contribuições ao Problema da Psicoterapia e à Psicologia da Transferência.* In: *Obras Completas de C. G. Jung.* 3. ed. Petrópolis: Vozes, 1987. Vol. XVI/1. E *Ab-reação, Análise dos Sonhos, Transferência.* In: *Obras Completas de C. G. Jung.* 2. ed. Petrópolis: Vozes, 1990. Vol. XVI/2.]

JUNG, C. G. 1949. "The psychology of the child archetype." In: *Collected Works*, 9/1:149-81. Princeton: Princeton University Press, 1971.

JUNG, C. G. 1953. *Psychology and Alchemy.* In: *Collected works*, vol. 12. Princeton: Princeton Press, 1968. [*Psicologia e Alquimia.* In: *Obras Completas de C. G. Jung.* 4. ed. Petrópolis: Vozes, 1991. Vol. XII.]

JUNG, C. G. 1955. *Mysterium Coniunctionis.* In: *Collected Works*, vol. 14. Princeton: Princeton University Press, 1970.

JUNG, C. G. 1961. *Seven Sermons to the Dead.* In: *Memories, Dreams, Reflections*, pp. 378-90. Nova York: Random House.

JUNG, C. G. 1973. *Letters:* 1906-1950, vol. 1, G. Adler, org. Princeton: Princeton University Press.

SCHWARTZ-SALANT, N. 1982. *Narcissism and Character Transformation: The psychology of narcissistic character disorders.* Toronto: Inner City Books. [*Narcisismo e Transformação do Caráter.* 2. ed. São Paulo: Cultrix, 2022.]

STEIN, R. 1974. *Incest and Human Love.* Baltimore: Penguin Books.

TAYLOR, C. 1982. "Sexual intimacy between patient and analyst." *Quadrant* 15:47-54.

TURNER, V. 1974. *Dramas, Fields, and Metaphors.* Ithaca, N.Y.: Cornell University Press.

ULANOV, A. 1979. "Follow-up treatment in cases of patient/therapist sex." *Journal of the American Academy of Psychoanalysis* 7:101-10.

ZABRISKIE, B. 1982. "Incest and myrrh: Father-daughter sex in therapy." *Quadrant* 15/2:5-24.

Sonhos e Transferência/Contratransferência: o Campo Transformador

James A. Hall*

> *[...] o verdadeiro médico não se coloca fora de seu trabalho, mas está sempre no meio dele.*
>
> JUNG

Teoricamente, não deveria haver dificuldade em relacionar transferência e contratransferência à teoria junguiana dos sonhos. Um dos mais antigos termos do discurso psicanalítico, a transferência é claramente

---

* **James A. Hall**, médico, é professor adjunto de psiquiatria do Health Science Center da University of Texas, Dallas. Membro fundador e ex-presidente da Inter-Regional Society of Jungian Analysts, é o atual presidente do Isthmus Institute, fundação não lucrativa que patrocina colóquios anuais sobre as convergências entre ciência e religião. Diplomado pelo C. G. Jung Institute de Zurique, é autor de *Clinical Uses of Dreams: Jungian Interpretations and Enactments* (1977) e *Jung e a Interpretação dos Sonhos* (1983).
© 1984 Chiron Publications

discernível em obra de Freud de 1912 (pp. 97-108) e tem antecedentes anteriores a essa data. A teoria junguiana do sonho tem muitas ramificações, mas estas podem ser logo atribuídas a outras escolas de psicologia profunda e, até certo ponto, ao estudo de laboratório do sono e dos sonhos (Hall, 1977, pp. 3-110). Qual *é*, então, a dificuldade?

A dificuldade em relacionar essas áreas remonta às próprias bases da psicologia profunda, tanto a junguiana quanto qualquer outra, pois nas profundezas inconscientes da transferência/contratransferência[1] (que abreviarei muitas vezes como T/CT) encontramos o mesmo enigma presente em parte da (de forma alguma rara) fenomenologia dos sonhos, como, por exemplo, nos sonhos telepáticos ou parapsicológicos (Hall, 1977, p. 322) ou naqueles que compensam algum conteúdo *que não* a imagem de ego dominante, como os sonhos com filhos que podem compensar as tensões na família ou aqueles que revelam a natureza da realidade objetiva, como a famosa visão que Kekulé teve da uroboros, que lhe sugeriu a estrutura química do anel de benzeno.

O dilema é o seguinte: não existe uma posição privilegiada a partir da qual se possa observar (sem efeitos interacionais) a psique de outro indivíduo. Toda observação da psique (própria ou de outrem) é observação participante, seja da interação clínica da T/CT ou dos sonhos do analisando ou do analista.

Essa relatividade irredutível dos dados não causa nenhuma dificuldade na prática clínica normal, na qual as distorções da transferência são em geral tão gritantes que a interpretação de sonhos ou da T/CT é essencialmente não ambígua (ver por exemplo, Hall, 1977, pp. 224-30). Mas, em situações críticas, pode ser muito difícil traçar uma distinção nítida. Se a T/CT for considerada uma razão das pressões relativas das

---

[1] Prefiro, na maioria das vezes, escrever transferência/contratransferência para indicar a característica de campo presente na interação entre analisando e analista. A natureza insatisfatória dos termos transferência e contratransferência é um dos temas da presente discussão.

distorções decorrentes da transferência (T) e contratransferência (CT) no campo transformador da interação analítica, a dificuldade de discriminar aumenta à medida que a razão T/CT se aproxima de 1, pois então as distorções do analista são tais que podem não ser distinguidas das do analisando, dificultando a interpretação do material deste. Se a razão T/CT tornar-se muito menor que um, o *temenos* analítico se perde em função de excessivas distorções contratransferenciais. Quando a razão T/CT é muito maior que um (a situação mais comum), é possível o trabalho analítico normal, que é facilitador da individuação transformadora do analisando, mesmo que estejam presentes algumas distorções de contratransferência.

Portanto, para que o trabalho analítico progrida, as sempre presentes distorções da contratransferência precisam ter importância ínfima em relação a quaisquer distorções da transferência do analista na mente do analisando. Já não podemos nos dar ao luxo de pensar, como Freud, que os analisandos distorcem sua percepção do analista, enquanto este é capaz de manter uma postura fincada na realidade com relação ao paciente.

O campo transformador da relação analítica

Transferência e contratransferência são partes inevitáveis do processo analítico, conforme se depreende claramente da maior afirmação de Jung sobre a questão, *The Psychology of the Transference* (1946, §§ 353-539). Nesse estudo, com base principalmente nas ilustrações alquímicas, Jung mostra sem sombra de dúvida que, em qualquer interação analítica significativa, tanto o analista quanto o analisando estão profundamente envolvidos. Por conseguinte, qualquer um deles ou ambos podem ser transformados por essa interação. Parece adequado referir-se a ela como um *campo transformador* sem necessidade de especificar quem – se o analisando ou o analista – é o agente da transformação. Na verdade, é provável que ambos o sejam.

Os principais vetores de possível mudança na situação analítica seguem as diversas permutações de relação entre analista e analisando. Em resumo, são eles:

1. A relação consciente entre o analista e o analisando, seu "contrato" terapêutico, que está em grande parte no nível do envolvimento consciente do ego e é o continente básico (*temenos, vas*) da situação. Essa relação traz em si o tempo e o espaço do encontro, honorários, metas estabelecidas da análise etc., mas não se limita a essas coisas.
2. A relação entre a mente consciente de cada um dos participantes e a mente inconsciente do outro. Ela é mais bem expressa na terminologia analítica junguiana clássica como a relação do ego do paciente com a *anima* do analista (ou o *animus* da analista), juntamente com a relação do ego do analista com o inconsciente (*animus/anima*) dos pacientes.
3. A relação entre os aspectos inconscientes tanto do analista quanto do analisando. Na linguagem clássica, ela equivale muitas vezes a interações na forma *animus-anima* caracterizada pela predominância de elementos abstratos e não pessoais, embora tal interação se possa fazer *sentir* como relacionada ao pessoal e ao emocional.
4. A relação interior entre o consciente e o inconsciente do paciente; a relação equivalente por parte do analista. Essa constitui *a* interação vital dentro de cada uma das pessoas da díade, pois é o movimento rumo à integração das partes conscientes e inconscientes da *pessoa* que é a essência do processo de individuação. As demais interações podem ser consideradas subsidiárias à facilitação segura e efetiva dessa integração.

Boa parte do trabalho do analista consiste em manter a situação analítica como um campo no qual a transformação individuativa do analisando seja mais provável. Isso se assemelha muito à característica de continente presente na relação analítica enfatizada por Winnicott (1951). Quando a estrutura do campo transformador se vê ameaçada pela dissolução ou pelo desequilíbrio, sua reparação deve ter precedência sobre as atividades normais da análise, como, por exemplo, a interpretação dos sonhos.

Com uma modificação no diagrama proposto por Jung (1946, § 422), essas afirmações se tornam ainda mais claras (ver Figura 1). Eu o alterei ligeiramente, substituindo *adepto* por *analista* e *soror*, a "irmã" mística que assistia o alquimista (1976, § 1703), por *analisanda*. Além disso, para maior facilidade de referência em nossa presente discussão, tomei a liberdade de acrescentar algumas subscrições às letras usadas para designar as interações. *Anima* e *animus* figuram conforme a posição e a terminologia originais, mas se deve lembrar que seu papel aqui é o do psicopompo ou guia para o inconsciente, de forma que cumprem um papel funcional que pode em certas ocasiões ser desempenhado por outro componente estrutural da psique, como o *Self*. *Anima/ animus*, nesse sentido, significam toda a relação entre consciência do ego e inconsciente.[2]

Naturalmente, a pressuposição de um analista e uma analisanda é arbitrária e poderia ser invertida ou então envolver indivíduos do mesmo sexo.

A relação consciente (*a*) é a interação intencional e oficial do processo analítico, ao passo que *b1* e *b2* representam a relação consciente/

---

[2] Embora aqui a discussão de *anima/animus* não seja relevante para os nossos interesses, é importante salientar que, conforme os entendo, esses termos referem-se basicamente à função de relação destinada a ampliar a esfera do pessoal, em vez de se referir a qualquer conteúdo atribuído, como "alma" ou "espírito" (conforme Hall, 1983, pp. 16-8).

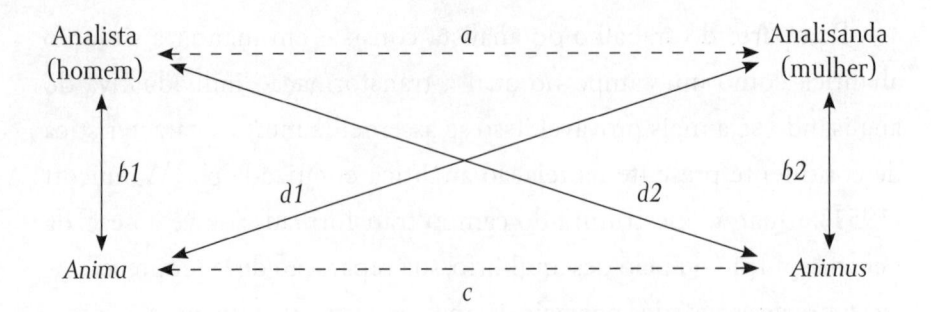

```
Analista  ←------------ a ------------→  Analisanda
(homem)                                   (mulher)
   ↕         d1           d2                 ↕
   b1                                        b2
   ↕                                         ↕
  Anima  ←------------- c -------------→  Animus
```

Figura 1.

a = a relação consciente; *b1* = a relação do analista com seu inconsciente; *b2* = a relação da analisanda com seu inconsciente; *c* = a relação inconsciente entre a *anima* do analista e o *animus* da analisanda; *d1* = o *animus* da analisanda em relação ao ego consciente do analista; *d2* = a *anima* do analista em relação ao ego consciente da analisanda. (Adaptado de C. G. Jung, *The Psychology of the Transference*. In: *Collected Works*, 16:221. Princeton: Princeton University Press. © 1966 by Princeton University Press. Reimpressão autorizada.)

inconsciente *dentro* do analista e da analisanda, respectivamente, a linha ao longo da qual a individuação básica de cada um se processa. As relações cruzadas *d1* e *d2* representam as formas de interação entre o consciente de uma das pessoas da díade e o inconsciente da outra. Espera-se que *d1* seja parte da distorção normal da transferência descrita por Freud, enquanto *d2* deve ser mínima, embora ambas essas relações cruzadas devam necessariamente estar presentes até certo ponto no campo transformador da análise. A relação inconsciente sempre se faz presente, mas nela nem o analista nem a analisanda estão suficientemente conscientes para dar apoio ao ego no processo, que não é necessariamente indesejável nem deixa de ser transformador pelo simples fato de ser inconsciente.

O funcionamento adequado da análise requer certas condições que podem ser representadas *grosso modo* nesse diagrama. As partes da relação que contêm o elemento consciente devem ser sempre capazes de suportar a pressão inconsciente tanto do analista quanto da analisanda: a força do primeiro agrupamento ($a + b1 + b2$) deve ser maior que a pressão do segundo ($d1 + d2 + c$). Sugiro que o primeiro agrupamento seja referido pelo termo *temenos* porque é usado na literatura junguiana e porque retém mais do sabor arquetípico do que a palavra clínica *continente*; ele se refere praticamente à mesma coisa e é análogo ao *vas* alquímico. O segundo agrupamento é realmente a *prima materia* da transformação *tanto* para o analista *quanto* para a analisanda, mas no momento não creio ser útil atribuir-lhe uma denominação específica.

Alguns exemplos clínicos

Anos atrás (felizmente), no início de minha carreira como analista, entrei em contato com uma jovem neurótica por um breve período de terapia que jamais atingiu o estágio de análise. Depois de várias visitas ao longo de alguns meses, ela me disse no início de uma sessão: "Você sabe o que há de errado comigo e eu, não. Além disso, não tenho muito dinheiro. Por que você não me diz qual é o meu problema para que eu avance mais rápido e possa economizar o pouco dinheiro que tenho?". Reagi (erradamente) a isso como se fosse uma comunicação apenas no plano *a*, mas logo ficou evidente que o grosso da energia provinha de *d1* – o animus da paciente falando "logicamente" ao meu ego. "Muito bem, vou lhe dizer então", respondi e comecei a enumerar algumas coisas (para mim) óbvias que ela precisaria alterar para livrar-se, ao menos um pouco, de sua depressão neurótica. Mas ela as tomou de uma forma inteiramente diferente do que eu presumia que fosse comunicação no plano *a*. Mal havia acabado de citar a breve lista, ela pegou a bolsa, bateu-a com raiva em minha mesa e saiu do consultório vociferando: "Se é *assim* que você pensa, eu vou embora!". Fiquei sem notícias dela por três meses, quando voltou para outro breve período em que pudemos trabalhar sua neurose de modo mais útil.

Não poucas vezes os sonhos – tanto os do analista quanto os do analisando – dizem respeito a facetas da T/CT na análise. Nessas ocasiões, é da mais absoluta importância distinguir-lhes, na medida do possível, os significados objetivos dos subjetivos.

Já analisei o sonho de um jovem aluno que sofria de problemas edipianos (Hall, 1977, pp. 229-230), dos quais um sintoma era sua sensação de jamais ser capaz de fazer algo "tão bem quanto você [o analista] faz". Enquanto se encontrava imerso nesses sentimentos neuróticos de autodepreciação, ele sonhou que estávamos, ele e eu, em busca conjunta da "fonte", que no fim era uma fonte luminosa artesiana. Em certos momentos, ele me conduzia; em outros, eu estava na frente e o chamava: um claro símbolo do caráter de busca conjunta do esforço analítico, uma busca na qual ninguém ainda havia atingido a meta. Em termos do diagrama do campo transformador, seu sonho o fez lembrar que *a* e *d1* não predominavam. Com efeito, todas as relações representadas no diagrama podem ser encontradas no sonho.

Uma mulher, cuja filha adolescente estava em tratamento de anorexia nervosa, veio queixar-se a mim de que eu não estava seguindo o tratamento certo, conforme o que prescrevia um livro bastante conhecido (e bom) sobre o problema da anorexia que estivera lendo. Ela inclusive o trouxe consigo para aprofundar minha formação. Só depois que discutimos a questão e chegamos a certo consenso foi que ela me contou um sonho que tivera havia pouco. Nesse sonho, eu (o analista) dirigia um carro conversível no qual estavam outras pessoas também, mas eu não dirigia bem, batia em muros, subia em jardins etc. Se fosse objetivo, esse sonho lançaria sérias dúvidas sobre a validade do plano de tratamento que eu propusera. Porém ela então acrescentou que "o carro não ficava amassado quando batia nos muros" porque ele "parecia ricochetear" e, apesar da minha péssima maneira de conduzir, "nós íamos chegar lá, íamos aonde queríamos ir".

Os sonhos do analista podem aumentar-lhe a sensibilidade para as distorções da contratransferência ou da transferência. O sonho do rinoceronte branco (Hall, 1977, pp. 226-27), que ameaçava tanto o analista quanto o paciente, revelou ao primeiro que ambos estavam ameaçados por um complexo autônomo que poderia pertencer a qualquer dos dois ou a ambos, um risco discutido por Meier (1959, p. 28). No sonho, o conflito T/CT não seria resolvido por meios legais (identificar a quem pertencia o complexo), mas poderia ser tratado com segurança se ambos os envolvidos observassem sua atividade. Embora o analista não o discutisse com o paciente, o sonho forneceu-lhe uma perspectiva a partir da qual pôde lidar com um impasse que, de outro modo, poderia ter levado o processo psicoterapêutico a um fim prematuro. Esse sonho apontava essencialmente para uma atividade do plano *c*, sugerindo especificamente que se evitassem as relações cruzadas *d1* e *d2* e enfatizando o valor da relação consciente *a*. Os parceiros da díade analítica deviam prestar atenção a seus próprios processos inconscientes (*b1* e *b2*), que eram semelhantes.

Embora, em geral, eu ache que é melhor que o analista não discuta seus próprios sonhos – principalmente aqueles nos quais o paciente está presente – com o analisando, é importante que ele aja conforme sua compreensão do sonho, como no caso do rinoceronte branco acima citado. Machtiger (1982, p. 106), porém, provou haver registros de casos em que Jung relatou seus próprios sonhos a pacientes (Jung, 1961*b*, p. 133). Meu raciocínio é o seguinte: o sonho pode ser tomado como "mais profundo" que a compreensão do ego (e geralmente o é), de modo que contar a uma pessoa um sonho que tivemos com ela talvez a encoraje a projetar nele seu próprio entendimento (correto ou incorreto), por sentir que conhece mais os "verdadeiros" sentimentos do analista-sonhador do que o analista diz. Considere-se, por exemplo, um caso não analítico do risco da projeção quando se relata um sonho. Uma mulher contou ao marido um sonho no qual estava num carro com dois colegas de seu grupo de psicoterapia. Ele projetou no sonho seus próprios temores e a acusou de ter interesses – quando não relações – sexuais por esses dois homens, assimilando o sonho em sua própria estrutura de complexos. Embora em geral relatar ao paciente um sonho em que este figure nem sempre seja o melhor, parece-me importante compreender e agir com responsabilidade.

Em termos de T/CT, o efeito mais comum dos sonhos é semelhante ao citado acima por Jung (1961b, p. 133), no qual o sonho compensa de modo positivo ou negativo uma distorção da imagem do outro no ego nascente. Para ficar com Jung, aquele seu sonho em que tinha de *respeitar* a paciente compensava aparentemente sua imperceptível tendência a *menosprezá-la*. Esse tipo de compensação onírica da idealização ou negação excessivas do outro tendem a restabelecer a relação simétrica do campo transformador em que *ambos*, analisando e analista, estão envolvidos para o bem da transformação, embora a diferentes velocidades e de diferentes formas. Um exemplo admirável de compensação de uma forte transferência negativa sobre mim por uma paciente com muitos problemas de neurose ocorreu em dois sonhos curtos que ela teve, com várias noites entre o primeiro e o segundo.

> Sonhos:
> Você [o analista] estava fazendo uma palestra diante de um grupo de pessoas, entre as quais estava eu [o ego do sonho]. Você parava e dizia que estava morrendo de câncer e eu chorava.
>
> Eu estava com você [o analista] e estava feliz. Acho que até o beijei de leve, mas sem conotações sexuais. Eu sentia carinho em relação a você porque você estava disposto a ajudar-me e a atuar sem rejeitar-me.

A paciente que teve esses dois sonhos positivos, o segundo com um matiz levemente erótico, ficara furiosa comigo diversas vezes, interrompera abruptamente a terapia pelo menos uma vez, culpando-me por sua própria decisão, e em geral expressara (aparentemente) a mim toda a hostilidade que não conseguira verbalizar para a mãe, uma hostilidade que derivava também da morte de um dos filhos e da invalidez de outro. Os sonhos a ajudaram a corrigir o desequilíbrio de sua transferência negativa, permitindo-lhe aproveitar mais a psicoterapia de que necessitava.

Sonhos e T/CT: algumas diretrizes

Sempre que o analista aparece nos sonhos de um analisando, é ainda mais importante que de hábito trazer à tona todas as associações por eles evocadas. *Há* algum sentimento oculto, positivo ou negativo, em relação ao analista que o paciente conheça mas não tenha expressado, talvez por medo transferencial de retaliação ou rejeição? Em segundo lugar, o analista deve perguntar a si mesmo se o sonho do paciente poderia ser objetivo – isto é, referir-se ao analista diretamente e não ao analista como personificação de uma parte do inconsciente do próprio paciente (um significado relativamente frequente da figura do analista no sonho). À medida que o paciente começa a melhorar, o analista no sonho pode representar a percepção recém-adquirida por meio da análise.

Quando sonha com o paciente, é importantíssimo que o analista descubra se há alguma distorção do paciente, seja supervalorizando-o ou menosprezando-o. Se necessário, deve discutir o sonho (em algumas situações, até o próprio caso) com um colega ou com seu próprio analista. Na maioria das vezes, será capaz ele próprio de entender seu sonho e tomar as decisões adequadas no âmbito da análise para corrigir eventuais distorções do material do paciente. Só em raras ocasiões e com muita prudência, deve ele considerar a hipótese de discutir diretamente com o paciente um sonho em que este apareceu.

Quando a compreensão dos níveis arquetípicos da T/CT é insuficiente, às vezes surge a pressão para interpretar imagens oníricas como referentes ao processo de T/CT, mesmo quando não há nada no próprio sonho que sustente essa interpretação. Se considerarmos os sonhos como autorrepresentações da psique, elaborados para compensar a visão da imagem dominante de ego, vemos como são perfeitamente capazes de apresentar o próprio analista no sonho quando estão frisando um significado objetivo. Em minha opinião, só raramente devem-se considerar outras figuras que não o analista nos sonhos como referentes a ele, já que, do ponto de vista junguiano, o sonho não é "camuflado" – não há necessidade de substituir o analista por outra figura. Em vez disso, os sonhos são simbólicos, muitas figuras oníricas podem referir-se ao mesmo núcleo de complexos, grupos de imagens relacionadas por um tom emocional comum, como um complexo negativo do pai, por exemplo. O que realmente *se encontra* em sonhos são padrões recorrentes, os escolhidos pelo *Self* para dar ao ego onírico a oportunidade de alterar a complexa estrutura da mente, da qual o ego da vigília depende muito para sua noção de identidade (Hall, 1977, pp. 141-79; 1982). O analista pode surgir no sonho de um paciente como uma de várias imagens que representam determinada estrutura complexa em várias de suas nuanças e relações com outros componentes estruturais da psique do paciente. Naturalmente, quando a imagem do analista aparece, é necessário dar um peso um tanto maior à possibilidade de interpretação objetiva, embora a princípio o melhor seja considerar todas as imagens oníricas como basicamente subjetivas.

Problemas eróticos

Nada na discussão da análise parece despertar tanto afeto quanto a questão dos sentimentos eróticos entre analisandos e analistas e o risco da atuação, que envolve importantes considerações de ordem ética, moral, legal e analítica. Dito de forma simples, assim como em qualquer outro relacionamento profundo, os sentimentos sexuais entre analistas e analisandos são de esperar. Isso pode representar simplesmente atração sexual no nível do ego, da mesma forma que poderia ocorrer entre duas pessoas quaisquer, independente da presença de algum tipo de relação pessoal. O *temenos* analítico apresenta uma relação entre médico e paciente que "é uma relação pessoal dentro do quadro impessoal de um tratamento médico" (Jung, 1966*a*, § 163). Qualquer sentimento próprio de um relacionamento pessoal pode surgir, inclusive o sexual, mas ele é modificado pelo *temenos* e pelo contexto profissional.

Portanto, os sonhos sexuais devem ser tratados com todo cuidado possível quando o objeto sexual for o analista no sonho do paciente ou o paciente no sonho do analista. A revelação, por parte do analista, de sentimentos sexuais em relação ao paciente é uma das áreas tecnicamente mais difíceis da análise: ela pode aliviar pressões da transferência por indicar que estas possuem alguma base na realidade ou inflamar – embora não inevitavelmente – a transferência erótica até um ponto perigoso.

No início de minha prática, cheguei à conclusão de que uma paciente particularmente atraente estava tendo sentimentos sexuais em relação a mim. Ela não disse nada abertamente nem relatou sonhos de caráter sexual. O que ela chegou a fazer foi brincar com a caneta-tinteiro que ficava em minha mesa de uma forma que me pareceu erótica, quase como se estivesse acariciando um pênis. Nosso trabalho analítico terminou por força de circunstâncias externas: ela partiu numa longa viagem e eu fui "convidado" a alistar-me no exército durante o conflito do Vietnã. Algumas semanas depois de sua partida, recebi pelo correio um pacote enviado por ela. Tratava-se de um velho exemplar de *Fim de Caso*, de Graham Greene. Não havia um comentário sequer – nem precisaria! Em retrospectiva, creio ter sido um erro não trazer a questão dos sentimentos eróticos da T/CT à discussão. Eles evidentemente estavam muito mais perto da superfície do consciente dela do que eu pensara.

Outra paciente muito atraente relatou uma longa série de sonhos eróticos comigo, apesar de alegar que não tinha nenhum sentimento sexual consciente. Eu tinha consciência de minhas próprias fantasias sexuais em relação a ela, mas continuei a interpretar os sonhos de modo subjetivo, como se os sentimentos sexuais se referissem a um símbolo da *coniunctio* que unia seu ego a seu *animus* (relação *b2*). Os sonhos eróticos continuaram presentes como antes. Discuti a situação com o analista com quem fizera a maior parte de meu trabalho de controle e ele disse (com muita sabedoria, creio eu) que o inconsciente dela poderia simplesmente estar interessado em saber se eu tinha mesmo algum sentimento sexual em relação a ela, já que os sonhos não haviam conseguido mudar de rumo com repetidas interpretações subjetivas. Cheio de medo e ansiedade, falei-lhe de meus próprios pensamentos sexuais assim que ela trouxe sonhos eróticos transferenciais, acrescentando que havia uma grande distinção entre sentimento e ação, que eu não tinha intenção de concretizá-los nem de bancar o sedutor, já que o processo analítico era mais importante que qualquer sentimento erótico. Ela mal reagiu – disse simplesmente que entendia que eu pudesse ter sentimentos sexuais e que também valorizava o progresso que estava fazendo na análise. Como se em resposta à minha revelação, os sonhos dela imediatamente deixaram de lado o tema da transferência erótica e passaram a lidar com outras áreas mais urgentes do processo analítico. Nesse exemplo, o conselho de meu supervisor estava certo e a minha revelação (devidamente acompanhada das ressalvas) era indicada e eficaz.

Os sonhos eróticos transferenciais podem ser uma tentativa simbólica de estabelecer uma ligação com o analista quando há suficiente envolvimento emocional (Jung, 1966*a*, § 276; 1976, § 333). Jung (1946, §§ 353-529) reconhecia também o significado mais arquetípico da transferência, que estaria a serviço da *coniunctio* (a união de opostos) e da transformação e não deveria ser reduzido a um significado personalista de atração sexual.

Evidentemente, há o risco de concretizar uma transferência sexual, de atuar sexualmente, e, assim, pôr a perder o *temenos* da análise. A excessiva interpretação sexual de material inconsciente pode promover uma transferência erótica (Jung, 1966*a*, § 273). Entretanto, conheço apenas quatro exemplos de envolvimento sexual de terapeuta (não necessariamente analista) e paciente. Como me foram relatados diretamente pelos terapeutas envolvidos, não tenho razão para duvidar da veracidade de tais exemplos. *Sei* de outros exemplos por meio da literatura. Nos quatro que conheço mais de perto, a proporção é a seguinte: dois terapeutas envolvidos com pacientes do sexo feminino e duas terapeutas envolvidas com pacientes do sexo masculino. Creio que o envolvimento teve um desfecho positivo em dois casos, no de um dos terapeutas e no de uma das terapeutas. O do outro terapeuta foi um desastre tanto para ele quanto para a paciente e no quarto caso, ao que eu saiba, o resultado foi indiferente. Nesses exemplos é difícil dizer quem seduziu quem. Se houve sedução em algum, foi a de um dos terapeutas pela paciente, mas havia tantos níveis na relação entre eles que é difícil saber se ela se enquadra na discussão da interação T/CT convencional. Creio que nossos padrões éticos – contrários ao envolvimento sexual na análise – sejam corretos, mas não acho que devamos automaticamente julgar o analista culpado quando tais casos ocorrem, exceto talvez em casos repetidos ou caracterológicos. Essa questão é tão delicada, tanto do ponto de vista prático quanto do teórico, que devemos valer-nos de toda a nossa compreensão para investigar o *significado* do envolvimento, em vez de julgá-lo imediatamente. É preciso um volume muito maior de dados de *natureza analítica* e há muitos obstáculos óbvios à sua coleta imparcial. Não sei se os quatro casos de que posso falar com algum conhecimento analítico são típicos, mas eles são suficientes para recomendar cautela na interpretação de tais envolvimentos. O argumento tradicional de que não se deve "atuar" para que a libido ative imagens em vez de atos é um argumento essencialmente circular, que dá ensejo à argumentação do contrário: que a "atuação" pode dar início ao fluxo da libido quando este é insuficiente. É preciso que examinemos essas questões com a devida cautela e moderação.

A visão junguiana e outras visões

O mais recente apanhado da abordagem junguiana da T/CT está em *Jungian Analysis* (Stein (org.), 1982), nos excelentes ensaios de Ulanov, Machtiger e McCurdy ali reunidos. Fordham (1979) deu inúmeras contribuições à compreensão da T/CT, com ênfase na análise redutiva e na análise da transferência conforme a visão do grupo de Londres. Machtiger apresenta uma boa revisão dessa contribuição, enquanto McCurdy chama a atenção para o interessante estudo das imagens da T/CT durante sessões de terapia conforme relatadas por Dieckmann (1976), o responsável por essa pesquisa no Berlin Institute. Além disso, Groesbeck (1978) frisou a influência da tipologia da personalidade na análise de transferência.

Persiste uma grande distância entre a visão junguiana da T/CT e a de autores de outras áreas da psicologia profunda. As principais diferenças são: (a) a compreensão junguiana dos aspectos arquetípicos e transpessoais da T/CT e (b) aquilo que chamei de *campo transformador*, a inevitável participação mútua de analista e analisando num processo que é maior que qualquer um dos dois, como no sonho da "fonte" como uma fonte luminosa.

Existem tentativas de abordar os aspectos arquetípicos e transformadores da T/CT fora do âmbito da psicologia junguiana, Em vez de T/CT, Denes (1980) fala de um "campo bipolar", termo semelhante ao "campo bipessoal" de Lang. Ambos os termos enfocam a díade analista/analisando e desconsideram as bases arquetípicas. Dysart (1977) avalia como a mudança pode realizar-se com pouca ou nenhuma introvisão do paciente. O paciente também é visto como um observador participante do processo, juntamente com o analista (Wolstein, 1977). Cada vez mais se aceita que a T/CT deve ser compreendida como um fenômeno de campo, mas Jung raramente é mencionado – em geral, o crédito é atribuído a Harry Stack Sullivan (Searles, 1977) e seu conceito posterior de "parataxe". Compartilha-se a ênfase na manutenção do campo transformador pelo analista a despeito dos ataques transferenciais do analisando (Schaefer, 1977, 1982). Hunt (1978) sugere que se veja a T/CT como um sistema aberto composto de subsistemas em interação. Muitos concordam com Chrzanowzki (1979) em que a T/CT transcende o conceito tradicional de transferência e sua interpretação. Está claro que há uma busca de reformulação da T/CT, mas uma busca geralmente não informada pela visão junguiana.

Uma das posições mais compatíveis com o pensamento junguiano está presente no ensaio de Wachtel (1980), que relaciona a T/CT com os conceitos piagetianos de *schema*, *assimilação* e *acomodação*. Os *schemata* são construídos pela interação da criança com o ambiente, embora haja tendência à formação de certos tipos de padrões, principalmente no que se refere à percepção. Pode-se traçar um paralelo entre esse conceito e o *complexo* junguiano, que se forma a partir da interação pessoal com o mundo, só que com base em formas arquetípicas; o complexo pode incluir imagens arquetípicas e imagens pessoais, mas o fulcro do complexo é o arquétipo em si – a pura tendência a estruturar de determinados modos a experiência. Pode haver padrões ou agrupamentos de complexos e um complexo pode predominar sobre outro. Esses movimentos de complexos, refletidos em imagens deles, podem às vezes ser observados em sonhos e relacionados a mudanças clínicas no estado de vigília (Hall, 1977, pp. 141-162). Quando novas experiências ocorrem, elas podem ser *assimiladas* (Piaget) a um *schema* (padrão de complexos, padrão de relações objetais) existente ou o *schema* pode ser *acomodado* (modificado) em resposta à nova experiência. É bem fácil ver os paralelos com a visão junguiana, mas Wachtel não menciona Jung em seu excelente artigo![3]

O ponto de vista do próprio Jung

Jung fala de transferência e contratransferência ao longo de suas *Obras Completas*, mas sua visão se concentra em duas fontes principais. Os aspectos clínicos são analisados na quinta das *Tavistock Lectures* (1976, §§ 304-80), enquanto os elementos arquetípicos da T/CT são examinados mais detidamente em *The Psychology of the Transference* (1946, §§ 353-539).

Jung (1966a, § 284) definiu a transferência como uma "abundância de projeções que funcionam como um substituto da relação psicológica real", a súbita ruptura daquilo que poderia ser "desagradável e até perigoso". Mesmo quando a resolução da transferência parece impossível, ela pode ser provocada pela atividade do consciente (1966b, § 251). Jung se deu conta (1954, § 260) de que a transferência era usada num sentido mais amplo do que o sentido técnico de projeção de conteúdos inconscientes da mente do paciente sobre o analista, expandindo-se até cobrir todos os "processos demasiado complexos que ligam o paciente ao analista". Ele não via a transferência como *necessária*, mas, sim, como algo que precisava ser tratado quando se fazia presente (1966b, § 94, n. 13), embora reconhecesse haver concordado inicialmente com Freud em que a importância da transferência não deveria ser subestimada (1946, § 370). A transferência produz-se em parte pela revelação dos pensamentos secretos do paciente ao analista

---

[3] Devo a Sally Parks o chamar-me a atenção para tais paralelos.

(1961*a*, § 433). É possível que ocorram curas a partir da força da transferência de uma *imago* do pai sobre o analista (1966*b*, § 206), mas "um verdadeiro confronto com o inconsciente exige uma atitude oposta a esta" (1966*b*, § 342). Como em outras ocasiões, é importante distinguir entre a *imago* de uma pessoa (a relação subjetiva com o objeto) e o objeto (pessoa) como realidade independente (1971, § 812).

O paciente pode ter várias razões para manter a transferência (1961*a*, § 439), inclusive (a) a atenção dedicada de uma pessoa como se fosse o pai que, no entanto, (b) foge à família e suas coerções e (c) geralmente prova ser capaz de prestar ajuda terapêutica ao analisando. Essa é uma atitude infantil, evidentemente, e a resistência à interpretação da transferência surge tão logo se levanta a questão da resolução dessa atitude infantil (1961*a*, § 657). O emprego da transferência negativa para bloquear a percepção da atitude infantil impede a ocorrência de suficiente transferência positiva e do simbolismo que a acompanha, a síntese de opostos (1946, § 371, n. 2). O ponto de vista freudiano é demasiado personalista e ignora "os conteúdos coletivos de natureza arquetípica característicos e essenciais da transferência" (1946, § 381, n. 34).

Num sentido mais amplo, a transferência não se restringe a pessoas, mas, já que é uma forma específica do processo mais geral da projeção (1976, § 312), ela pode recair também sobre objetos físicos (1976, § 313; §§ 325-326) ou animais (1976, § 324). O verdadeiro efeito terapêutico pode derivar dos esforços do analista para estabelecer aquilo que falta ao paciente: uma relação psicológica (1966*a*, § 276).

A transferência pode estar presente mesmo antes do início da análise, com base no conhecimento prévio do analista ou em pura projeção do analisando (1976, §§ 328-329). Quando os conteúdos projetados recaem sobre um conteúdo inconsciente semelhante no analista, pode estabelecer-se uma situação de participação, que Freud chamou de contratransferência (1976, § 322). Essa representa uma situação de contaminação pessoal por meio da inconsciência mútua (1976, §§ 323, 519).

Jung chama a junção de transferência e contratransferência de *subjetivação* (1976, § 532), palavra que posteriormente não adotou como termo técnico. Nesse estado de subjetivação ou participação, há um risco de que a compreensão (subjetiva) prepondere sobre o conhecimento (objetivo) a ponto de tornar-se "nociva a ambos os parceiros".

A intensidade da transferência dá uma medida da importância para o sujeito do conteúdo inconsciente que é transferido (1976, §§ 327, 352, 1094), o que pode indicar uma demanda de individuação (1976, § 1097). A transferência pode soltar figuras arquetípicas inesperadas, surpreendentes, porque talvez "nos esquecemos dos deuses" (1966*b*, § 163). A natureza arquetípica da transferência é bem diferente das "reduções freudianas e adlerianas" porque não se trata simplesmente de remover os impedimentos para um funcionamento mais normal na vida, mas de um processo no qual o analisando é confrontado com o "problema de encontrar o sentido que possibilite o prosseguimento da vida (entendendo-se por vida algo mais do que simples resignação e saudosismo)" (1966*b*, § 113). A forma transpessoal, arquetípica da transferência pode ser uma busca das "mais fortes e poderosas ideias, sem as quais o ser humano deixa de ser humano" (1966*b*, § 105). O analisando pode interpretar imagens arquetípicas "racionalmente, de acordo com o espírito contemporâneo", e negar o que está acontecendo (1946, § 466).

Jung (1976, §§ 357-77) cita quatro estágios da terapia da transferência, ligando-os ao movimento rumo à compreensão dos elementos arquetípicos:

1. Trabalho com a projeção de imagens pessoais.
2. Discriminação entre os conteúdos pessoais e impessoais.
3. Diferenciação entre a relação pessoal com o analista e fatores impessoais.
4. Objetivação de imagens impessoais.

O trabalho ao longo desses estágios de transferência pessoal e arquetípica destina-se a separar a consciência do objeto "de modo que o indivíduo deixe de depositar a garantia de sua felicidade, ou mesmo de sua vida, em fatores exteriores a si mesmo, sejam eles pessoas, ideias ou circunstâncias, vindo a perceber que tudo depende de ele guardar ou não consigo o tesouro" (1976, § 377).

Pedir ao paciente que rompa a relação de transferência é uma solicitação importante, já que isso constitui algo que raramente se exige de uma pessoa comum, a não ser em certas práticas religiosas (1961*a*, § 443). O tratamento da transferência revela "sob luz implacável o que na verdade constitui o agente curativo: o ponto até o qual o próprio analista tem condições de lidar com seus próprios problemas psicológicos" (1976, § 1172). O verdadeiro significado da transferência não deve ser buscado em seus antecedentes históricos (por meio da análise redutiva), mas em seu propósito (1969*a*, § 146). Os aspectos arquetípicos das imagens podem ser a tentativa do inconsciente de "libertar a concepção de Deus dos invólucros de uma instância pessoal" (1966*b*, § 214).

A consequência mais importante da análise da T/CT é fazer o paciente perceber "o *valor subjetivo* dos conteúdos pessoais e impessoais de sua transferência" (1976, § 358). Mesmo que fosse possível, não seria correto destruir as imagens arquetípicas transpessoais (1976, § 360) porque elas são parte integrante da psique e podem ter de aparecer sob a forma de projeção para evitar inundação da consciência (1976, § 361). O que realmente está por trás da transferência é a completude potencial do próprio paciente, o *Self* (1969*b*, § 230). Quando libertado dos aspectos pessoais da transferência, este pode pôr-se a serviço de uma função religiosa, levando o analisando a uma igreja ou credo religioso (1976, § 374) ou a uma ideia pessoal de relação Eu-Tu se não houver um continente transpessoal aceitável no mundo exterior coletivo (1969*b*, § 549).

Sonhos e T/CT: similaridade de estruturas

Hoje é possível admitir algumas possíveis similaridades entre a estrutura dos sonhos e a da T/CT. Ambos talvez sejam importantes vias de individuação, mesmo que vivenciados fora da análise formal. O sonho relaciona o ego da vigília a suas próprias bases internas, o que pode ser visto como o mesmo tipo de movimento endogâmico da T/CT, uma válvula de escape para a libido de parentesco, eclipsada pelo desenvolvimento maciço de estruturas exogâmicas que tomam "todos e cada um [...] estranhos no meio de estranhos" (Jung, 1946, § 445; ver também 1976, § 1162). As tensões levantadas pelo sonho e pela T/CT colocam o ego da vigília diante da tarefa de relacionar-se ao inconsciente, que "deveria ganhar a oportunidade de fazer o que quer também – tanto quanto possamos suportar" – uma postura que significa "ao mesmo tempo conflito aberto e colaboração aberta" (1969a, § 522).

Sob a influência da T/CT, tanto o ego onírico quanto o ego da vigília tendem àquilo que Jung (1960, § 86 e n. 9) chamou de *afeto do eu*, a modificação do complexo do eu resultante do aparecimento de um complexo de forte tonalidade afetiva. O afeto do eu está em contato com o complexo ativado e corre o risco de ser por ele avassalado. Ele deve agir no sentido de integrar o conteúdo inconsciente, restaurar a estabilidade do ego e manter a capacidade de suportar a realidade. Conforme nosso diagrama, se a pressão vier da T/CT, o ego precisa resistir à superatividade de $b2$, $d1$ ou c, enquanto mantém a qualidade estabilizadora da interação. Se a pressão vier do próprio inconsciente, fora de uma situação de T/CT, o ego precisa manter sua estabilidade normal, o que, como disse Jung (1961b, § 189), às vezes é tarefa digna de um herói.

Tanto no sonho quanto na situação de T/CT, existe um continente, um *temenos* ou *vas*, no qual o ego normal da vigília pode deintegrar-se em seus componentes e talvez vivenciar aspectos de sua natureza mais profunda não acessíveis em seu estado de estabilidade normal. No sonho, o *temenos* é o *Self* enquanto produtor de sonhos e a capacidade de despertar dos estados de afeto do eu onírico na relativa estabilidade do eu normal da vigília. Na situação de T/CT, a estabilidade é oferecida pela relação consciente com o analista (relação *a* do diagrama). Entretanto, tanto o analisando quanto o analista estão abertos à deintegração permitida no *temenos* da análise, embora o analista esteja mais consciente do processo, já o tendo vivenciado em sua própria análise pessoal, e possa funcionar como guia para o analisando se seus próprios processos inconscientes não estiverem em superatividade (relações *b2*, *dl* e *c*). A repetida experiência de abandono da situação analítica de T/CT e retorno ao mundo "comum" é análoga ao repetido despertar do eu onírico dos estados de afeto do eu para a normalidade do eu da vigília caracterologicamente estabilizado. Em ambas as situações, todavia, em última análise é o *Self* que garante a estabilidade do ego.

O conceito de afeto do eu é útil à descrição de um estágio do campo transformador que é essencial à transformação da imagem dominante do ego do analisando. O estado do afeto do eu associado à estrutura de identidade neurótica reprimida pode ser evocado de diversas formas, inclusive pela psicoterapia de grupo, que se torna cada vez mais apreciada pelos junguianos. Com efeito, a Inter-Regional Society permite aos candidatos a treinamento inscrever-se em grupos de terapia com um analista da sociedade por até cinquenta horas do total de experiência analítica exigido, numa proporção de duas horas de grupo para cada hora de análise individual. Na análise tradicional, o afeto do eu é gerado na maioria das vezes pelos sonhos e sua relação com estruturas semelhantes na vida da vigília (ver Hall, 1977, pp. 141-162). A interação T/CT é outro grande gerador de estados de afeto do eu. Muitas outras técnicas podem ser úteis na fase de vivência afetiva de diferentes polos do padrão neurótico das relações objetais (estrutura de identidade). Essas técnicas podem ser genericamente descritas como *atualizações* (Hall, 1977, pp. 331-348).

A esfera pessoal e a T/CT

O modelo alquímico de T/CT pode obscurecer uma das principais ênfases da clínica: a de que a responsabilidade pela manutenção do *temenos* analítico recai sobre o analista em maior grau do que sobre o analisando, que precisa apenas continuar a análise e, dentro desse limite de proteção, permitir a emergência de estados de afeto do eu, que se tornam a *prima materia* da análise. A assimetria na responsabilidade pela manutenção do *temenos* analítico não está evidente nas ilustrações alquímicas escolhidas por Jung para o ensaio *The Psychology of the Transference*, as quais mostram absoluta igualdade na interação entre o alquimista e a soror (análoga ao analisando). [Para outro tratamento dessas ilustrações alquímicas, ver Schwartz-Salant, pp. 7-34 deste volume.] Essas ilustrações na verdade são um modelo para a transformação mútua naquilo que eu chamaria de *a esfera pessoal*, a faixa de interação mútua bastante próxima que é não só o repositório dos problemas de individuação não resolvidos como também o espaço psíquico no qual tais problemas podem finalmente ser resolvidos. A definição dada por Jung da relação analítica como pessoal dentro do âmbito impessoal do tratamento profissional relaciona o conceito da esfera pessoal (que tem diversas aplicações fora da análise) à estrutura específica da análise. Parafraseando Jung, a relação analítica é uma relação pessoal voltada para a transformação de uma das partes (o analisando) dentro do *temenos* de uma relação profissional em que a outra parte (o analista) tem responsabilidades distintas das inerentes a uma relação não enquadrada nesses moldes, embora tanto as relações analíticas formais quanto as relações pessoais informais possam constelar parcial ou totalmente um campo transformador. A contratransferência erótica pode decorrer dessa fonte, mas há claramente outras formas que podem ser igualmente poderosas, como, por exemplo, a solidão ou talvez a sensação de isolamento intelectual.

Resumo

O exame da T/CT leva a inesperados problemas de manutenção de identidade do ego em constelações transpessoais e arquetípicas. Isso é análogo a certos problemas de interpretação de sonhos, quando se torna difícil decidir entre uma interpretação objetiva e uma subjetiva. Dentro de limites normais de T/CT, não há dificuldade, mas analisando e analista sempre estão até certo ponto envolvidos na T/CT, de forma que não há um ponto de vista privilegiado a partir do qual a psique possa ser vista sem distorções interacionais. Os sonhos tanto do analisando quanto do analista podem ajudar a estabilizar a situação de T/CT para que a relação consciente entre eles e os processos de individuação de ambos possam funcionar como um *temenos* que possa conter adequadamente um *campo transformador* no qual ambos são afetados.

Referências

CHRZANOWSKI, G. 1979. "The transference-countertransference transaction". *Contemporary Psychoanalysis* 15/3:458-471.

DENES, M. 1980. "Paradoxes in the therapeutic relationship". *Gestalt Journal* 3/1:41-51.

DIECKMANN, H. 1976. "Transference and countertransference: Results of a Berlin research group". *Journal of Analytical Psychology* 21/1:25-36.

DYSART, D. 1977. "Transference cure and narcissism". *Journal of the American Academy of Psychoanalysis* 5/1:17-29.

FORDHAM, M. 1979. "Analytical psychology and countertransference". *Contemporary Psychoanalysis* 15/4:630-646.

FREUD, S. 1912. "The dynamics of transference". In: *Standard Edition* 12:97-108. Londres: Hogarth Press and The Institute for Psycho-analysis.

GROESBECK, C. J. 1978. "Psychological types in the analysis of the transference". *Journal of Analytical Psychology* 23/1:23-53.

HALL, J. A. 1977. *Clinical Uses of Dreams: Jungian Interpretations and Enactments*. Nova York e Londres: Grune & Stratton.

HALL, J. A. 1982. "Polanyi and Jungian psychology: Dream-ego and waking-ego". *Journal of Analytical Psychology* 27:239-54.

HALL, J. A. 1983. *Jungian Dream Interpretation: A Handbook of Theory and Practice*. Toronto: Inner City. [*Jung e a Interpretação dos Sonhos*. 2. ed. São Paulo: Cultrix, 2021.]

HUNT, W. R. 1978. "The transference-countertransference system". *Journal of the American Academy of Psychoanalysis* 6/4:433-461.

JUNG, C. G. 1946. "The psychology of the transference". In: *Collected Works*, 16:163-323. Princeton: Princeton University Press, 1966.

JUNG, C. G. 1954. *The Development of Personality*. In: *Collected Works*, vol. 17. Princeton: Princeton University Press.

JUNG, C. G. 1960. *The Psychogenesis of Mental Disease*. In: *Collected Works*, vol. 3. Princeton: Princeton University Press.

JUNG, C. G. 1961a. *Freud and psychoanalysis*. In: *Collected Works*, vol. 4. Princeton: Princeton University Press.

JUNG, C. G. 1961b. *Memories, Dreams, Reflections*. Nova York: Random House, 1975.

JUNG, C. G. 1966a. *The Practice of Psychotherapy*. In: *Collected Works*, vol. 16. Princeton: Princeton University Press.

JUNG, C. G. 1966b. *Two Essays on Analytical Psychology*. In: *Collected Works*, vol. 7. Princeton: Princeton University Press.

JUNG, C. G. 1968. *Psychology and Alchemy*. In: *Collected Works*, vol. 12. Princeton: Princeton University Press.

JUNG, C. G. 1969a. *The Archetypes and the Collective Unconscious*. In: *Collected Works*, vol. 9, part 1. Princeton: Princeton University Press.

JUNG, C. G. 1969b. *Psychology and Religion: West and East*. In: *Collected Works*, vol. 11. Princeton: Princeton University Press.

JUNG, C. G. 1969c. *The Structure and Dynamics of the Psyche*. In: *Collected Works*, vol. 8. Princeton: Princeton University Press.

JUNG, C. G. 1970. *Civilization in Transition*. In: *Collected Works*, vol. 10. Princeton: Princeton University Press.

JUNG, C. G. 1971. *Psychological Types*. In: *Collected Works*, vol. 6. Princeton: Princeton University Press.

JUNG, C. G. 1976. *The Symbolic Life*. In: *Collected Works*, vol. 18. Princeton: Princeton University Press.

MACHTIGER, H. G. 1982. "Countertransference/transference". In: *Jungian Analysis*, M. Stein, org., pp. 86-110. La Salle, Ill., e Londres: Open Court.

McCURDY, A. 1981. "Establishing and maintaining analytical structure". In: *Jungian Analysis*, M. Stein, org., pp. 47-67. La Salle, Ill., e Londres: Open Court.

MEIER, C. 1959. "Projection, transference and the subject-object relation in psychology". *Journal of Analytical Psychology* 4/1:21-34.

SCHAEFER, R. 1977. "The interpretation of transference and the conditions for loving". *Journal of the American Psychoanalytical Association* 25/2:335-362.

SCHAEFER, R. 1982. "The relevance of the 'here and now' transference interpretation to the reconstruction of early development". *International Journal of Psycho--Analysis* 63/1:77-82.

SEARLES, H. F. 1977. "The analyst's participation observation as influenced by the patient's transference". *Contemporary Psychoanalysis* 13/3:367-371.

SEARLES, H. F. 1979. "The self in the countertransference". *Issues in Ego Psychology* 2/2:49-56.

STEIN, M. Org. 1982. *Jungian Analysis*. La Salle, Ill., e Londres: Open Court.

ULANOV, A. 1982. "Transference/countertransference: A Jungian perspective". In *Jungian Analysis*, M. Stein, org., pp. 68-85. La Salle, Ill., e Londres: Open Court.

WACHTEL. P. 1980. "Transference, schema and assimilation: The relevance of Piaget to the psychoanalytic theory of transference". In: *Annual of Psychoanalysis VII*, Chicago Institute for Psychoanalysis, org., pp. 59-76. Nova York: International Universities Press.

WINNICOTT, D. W. 1951. "Transitional objects and transitional phenomena". In: *Through Paediatrics to Psycho-analysis*, pp. 52-69. Londres: Hogarth.

WOLSTEIN, B. 1977. "Countertransference, counterresistance, counteranxiety: The anxiety of influence and the uniqueness of curiosity". *Contemporary Psychoanalysis* 13/1:16-29.

Transferência e Contratransferência na Análise Voltada para os Distúrbios Alimentares

Marion Woodman*

Na arte zen de manejar o arco, quando a flecha é liberada em seu ponto de tensão máxima, uma tensão constelada entre a flecha e o arco, ela voa direto ao alvo. Na análise, o ponto de tensão máxima entre o analista e o analisando, a depender da relação de comunicação entre eles, pode constelar-se em qualquer momento. Uma transferência muito forte sobre o analista pode comparar-se à liberação da flecha. Se a transferência cair muito longe do alvo, como quase sempre faz, a flecha não foi lançada com toda a força ou energia do arco retesado. Então, o analista não tem nenhuma dificuldade em reconhecer a transferência

---

* **Marion Woodman** é analista junguiana com consultório particular em Toronto. Com treinamento no C. G. Jung Institute de Zurique, ela é autora de *The Owl Was a Baker's Daughter: Obesity, Anorexia Nervosa, and the Repressed Feminine* (1980) [*A Coruja era Filha do Padeiro – Obesidade, Anorexia Nervosa e o Feminino Reprimido*. 2. ed. São Paulo: Cultrix, 2020] e *Addiction to Perfection:* The Still Unravished Bride (1982).
© 1984 Chiron Publications

e descobrir de onde ela provém psiquicamente. Quando, porém, a união entre o arco e a flecha é tamanha que eles se transformam numa só coisa (o ponto de tensão máxima), a transferência atinge o alvo e acerta na mosca, produzindo uma situação muito diferente, muito mais difícil de lidar diretamente, porque a flecha pode atingir inclusive o complexo mais doloroso do analista.

A transferência na análise muitas vezes tem como verdadeiro objetivo o ponto vulnerável do analista e, quando atinge o alvo, o resultado inevitável é uma contratransferência. Se o analista não estiver plenamente consciente da reação de sua própria sombra, pode haver danos reais. Se, todavia, o analista conhece seu complexo autônomo e sabe como lidar com ele (até onde pode ir), o fato de a transferência acertar em cheio pode dar ensejo a um dos estágios mais criativos da análise, um estágio no qual o verdadeiro trabalho pode ser feito. O analisando penetra na ferida do analista (como o Deus entra através da ferida) e o que pode decorrer disso é uma cura se – e apenas se – o analista já tiver chegado lá e lidado com ela. O analisando é capaz de reconhecer no processo o que está ocorrendo – para usar uma representação mítica, ele está combatendo a Medusa com o escudo que reflete sua imagem. Minha imagem do analista no fim do dia é a de São Sebastião, crivado de flechas que não lhe trazem dor nem sofrimento indevidos porque ele entende a natureza dessas feridas. No caso do analista, essa compreensão é produto de sua experiência analítica e de seu treinamento na análise. A cura vem pela consciência de uma vida vivida com autenticidade.

Ao lidar com distúrbios da alimentação, é imperativo separar o sintoma da doença. O sintoma pode ser a obesidade, a perda de peso e/ou vômitos. O analisando geralmente quer corrigir "o problema de peso". Porém o peso em si mesmo não é necessariamente um problema, apesar de a atitude coletiva atual nos fazer acreditar que o sucesso ou o fracasso na vida e no amor dependem de se estar gordo ou magro. Algumas pessoas são por natureza mais pesadas que outras; seus grandes corpos irradiam energia e são veículos adequados para suas dimensões psíquicas. Se por doença ou dieta elas emagrecem, ficam diminuídas. Outras carregam um peso extra para contrabalançar uma natureza altamente intuitiva e imaginativa que tende a escapar de seu lar físico; por isso, essa natureza exige o peso extra até conseguir criar raízes em sua própria terra. As perdas e ganhos de peso podem variar dentro de uma faixa muito ampla sem nenhuma mudança na ingestão calórica se, por exemplo, uma pessoa assim estiver dedicada à criação artística ou envolvida nos cuidados de uma pessoa próxima que está morrendo. A doença não é o peso, mas, sim, a ferida psicológica que se manifesta por meio do distúrbio alimentar. Por meio de suas reações corporais, o analista pode dizer se o corpo que está sentado à sua frente é um amontoado de carne inconsciente ou um corpo consciente e, observando suas flutuações de peso, pode ficar de sobreaviso para a atividade da sombra. O processo, conforme o vejo em meu trabalho com distúrbios da alimentação, é reconhecer os instintos feridos, alimentá-los e discipliná-los até devolver-lhes a saúde e fazer o ego estabelecer uma relação firme e amorosa com eles. Então o corpo, gradual e naturalmente, torna-se o continente adequado, seja grande, pequeno ou flutuante, para essa determinada psique.

Isso não pode ocorrer se o analista estiver consciente ou inconscientemente medindo o progresso da analisanda por meio de seu peso – e doravante usarei o feminino porque todas as analisandas de que falo são mulheres. Na maioria dos casos, a paciente passou anos ganhando ou perdendo dezenas de quilos antes de apelar para a análise como último recurso. O ambiente no lar a impele a um rígido estilo de vida, controlado pelo relógio, por exames e metas profissionais. Ela tentou seguir uma dieta reforçando esses padrões rígidos pela obediência total a quadros calóricos e exercícios habituais. As verdadeiras necessidades de sua sombra e de seu ego famintos foram ignoradas. A psique por fim rebelou-se e os instintos rejeitados irromperam sob a forma de um comportamento alimentar compulsivo. Tentar lidar diretamente com esse frenesi é enfrentar a Medusa cara a cara e, inevitavelmente, a Medusa vencerá. Se, por outro lado, psique e soma forem reconhecidos como um sistema inter-relacionado, os sonhos indicarão com muita clareza quando o ego está forte o bastante para lidar com a função inferior. Pelo simples fato de permanecer consciente das proporções físicas da cadeira em frente, o analista está promovendo a tensão necessária. Se essa tensão se perder, o conflito inconsciente manifesto no corpo será esquecido; analista e analisanda provavelmente estarão voando em intuitivos sonhos dourados, sem perceber a sombra abandonada, soterrada demais para aparecer sequer em sonhos.

Um exemplo tornará o processo claro. Rachel tem trinta e poucos anos, é filha de um pai extremamente racional e de uma mãe extremamente intuitiva e voltada para as artes, que esperava que a filha fosse tão "charmosa" quanto ela própria, o que, infelizmente, não se concretizou. A mensagem da mãe fora por muito tempo: "O bolo de chocolate está na cozinha. Não o coma". A lógica de Rachel está em guerra constante com sua intuição. Seu sonho é entrar numa livraria e encontrar um livro: *A resposta*, escrito por Deus. Desde a infância, ela se rebelou contra a sociedade rica em que nasceu, uma rebeldia que se manifestou, entre outras coisas, em abusar de drogas e de comida. Seu pavor da privação tornou a dieta impossível. Depois de dois anos de análise, ela teve o seguinte sonho:

> Sonho: *Thor correu para a rua perseguindo dois outros cães negros. Eles viraram uma esquina e provocaram um acidente de carro. Tive de falar com o policial.*
> – *Não me obrigue a matar o cachorro. Ele está sendo adestrado.*
> – *Certo* – *respondeu o policial.*

Depois desse sonho, sua ânsia por doces cessou. Seu cão adorado de fato estava sendo adestrado porque agira segundo a hostilidade dela e mordera algumas pessoas. Ao confiá-lo a um excelente instrutor para que o disciplinasse, Rachel se conscientizou de seus próprios instintos "não civilizados" e do caos que provocavam em seu corpo. Ela conscientizou-se também do quanto se sentia rejeitada por não ser "adequada" conforme os padrões coletivos. De certo modo, seu tamanho a isolava até dos amigos. E, de fato, ela estava recebendo uma mensagem dupla: "Nós a amamos, mas não a aceitamos como você é".

Duas semanas depois, ganhou de presente *brownies* feitos em casa. "Preciso de chocolate", pensou ela, e comeu seis pedaços. Antes, isso seria seu comportamento normal; mas dessa vez ela passou mal. Naquela noite, sonhou:

Sonho: *Fora às Bahamas em companhia de amigos. Haviam conseguido fazer a viagem por uma bagatela, pois a ilha em que ficaram era uma base das forças armadas sobrevoada por ruidosos caças.*

– A gente sempre consegue férias mais baratas viajando para ficar em acampamentos do exército – disseram os amigos.

"Nunca mais", pensei comigo mesma. "Não quero saber de barganhas. Não gosto disto aqui."

Eu estava indo para Paradise Island com um amigo. Aí o sonho mudou e eu estava indo com meu irmão visitar minha mãe. Ela estava à beira da morte e eu tinha de vê-la duas vezes antes que ela morresse. Ela estava deitada no divã em que costumava deitar quando eu era criança, com bandagens nos olhos. Havia alguma coisa má nela, como na Cathy de Vidas Amargas. Ela era o Mal. Ela me olhou com aquele olhar de "tem alguma coisa errada nesse relacionamento". Essa é sua forma de olhar; ela vê o avesso sórdido de qualquer coisa. Pergunta-me a respeito de minha viagem. Eu sabia que ela queria descobrir algum detalhe sórdido ali, então eu disse:

– As pessoas inventam boatos.

E eu me recusei a deixá-la entrar.

A "bagatela" na base das forças armadas provavelmente simboliza o complexo autônomo indiferenciado de Rachel, uma área em que ela imagina existe liberdade em relação às responsabilidades, mas onde, na verdade, ela depara intuições de hostilidade e rumor. Enquanto continuar a investir energia barata no complexo, ela estará se preparando para a guerra. O ego onírico resolve que aquilo não é barganha e parte para outro Paraíso/*Paradise*. Entretanto, o sonho muda e Rachel e seu *animus* vão até sua mãe inconsciente. Ela me dissera que o chocolate a fazia lembrar imediatamente da mãe e de suas mensagens duplas. Aquele confronto com o Mal a fizera passar mal – tão mal que os doces se tornaram veneno para ela. Disse-me: – Nunca pensei em fazer dieta. Não a farei, mas também não vou comer veneno. – Assim, quando surge uma oportunidade, os instintos acabam por tornar-se o animal amigo que apoia o ego contra o componente destrutivo do inconsciente materno.

A criança rejeitada na sombra, aquela criança que fugiria para Paradise Island, é a figura crucial na transferência/contratransferência quando se lida com um viciado em comida. Vestido numa *persona* que parece demonstrar autocontrole, autoconfiança e até mesmo certo distanciamento taciturno, o ego imaturo é constantemente ameaçado pela sombra da criança bruxa, que morre de medo de sofrer a privação imposta pela mãe bruxa. Por mais amorosa que a mãe real possa ter sido, se a essência da criança real tiver sido menosprezada ou ignorada e as projeções da "melhor menininha, melhor estudantezinha, melhor atletazinha" tiverem sido aceitas, então a vida não vivida estará faminta na sombra. Ela não acredita que sempre haverá amor e alimento. Sua experiência lhe ensinou a engolir imediatamente tudo o que for doce porque a doçura sem dúvida acabará. A efervescente energia animal que ansiava por reconhecimento na infância foi "corrigida" e aprisionada até deixar de reconhecer seu próprio medo, culpa e raiva. A viciada só sabe que sua vida é intolerável e que a única forma de sobreviver é amortecer a dor do vulcão interior, engolindo comida ou lutando para não a engolir. Se a pressão do vulcão precisa de escape, ela pode recorrer ao vômito ritual. Como não consegue viver a própria vida na realidade, ela vive só na própria imaginação, onde é rainha. Lá guarda suas piadas particulares, sua amargura contra o mundo que a rejeita e que ela, por sua vez, rejeita também. Ela cria seus próprios valores morais e não pensa duas vezes em mentir ou roubar para alimentar-se daquilo que quer e necessita. Com efeito, praticamente cada bocado que põe na boca é "fruto proibido", comido com sub-reptício regozijo em desafio zombeteiro à coletividade – "Não o farás". Está carregada de energia bloqueada que ela "sabe" que destruiria as pessoas "normais" se fosse liberada; concretiza seus fortes sentimentos no corpo, receando ser rejeitada se os deixar fluir. Geralmente, essa criança é supersensível, muito intuitiva, percebendo rapidamente que os outros projetam sobre ela sua própria criança bruxa porque ela é gorda e a gordura é tabu em nossa cultura. Muitas vezes, ela é que é abandonada, tida por morta numa sociedade esquizofrênica que ama sua mente racional, explora sua alma sensível e rejeita seu corpo poderoso. Ela não quer ser vista nem numa sessão nem na vida, e sua cortina de fumaça de silêncio e mentiras é impressionante.

No entanto, essa sombra infantil, teimosa e traiçoeira muitas vezes contém o verdadeiro ego feminino que jamais teve uma chance de viver. Ela recorre a mim para ter a compreensão que deixou de esperar da sociedade. Ela está disposta a me deixar mostrar o espelho a suas ilusões e suas mentiras. Juntas podemos dar nome aos bois – gordura é gordura, ganância é ganância, luxúria é luxúria, poder é poder, amor é amor. Penso que sou como um diapasão que precisa soar com verdade se é que deve entrar em ressonância com a realidade dela. Numa luta de vida ou morte (na anorexia nervosa, por exemplo), não há tempo para eufemismos.

Nas situações em que a raiva e o desespero reprimidos levam a uma compulsão de comer ou não comer cuja intensidade é demoníaca, a paciente parece "possuída". O ego aterrorizado apela para o analista como uma tábua de salvação. Se ele não consegue identificar a "perda da alma" presente na fome e nos altos e baixos eufóricos, ou se tiver medo da morte, o corpo rígido que está na outra cadeira pode ser descartado como um histérico que cria o seu próprio clamor, propenso à inflação negativa que, ainda por cima, se vale de truques para chamar a atenção do analista. A rigidez do corpo, contudo, pode ser causada pela presença de emoções fortes que inundam o ego, como no estado catatônico dos esquizofrênicos. A analisanda pode estar perto de um episódio psicótico. Pode estar sendo travada uma batalha de vida ou morte que precisa ser tratada nesse nível, caso se busque a cura. As emoções obsessivas precisam do escudo da consciência do analista para refletir o que está constelado. Esse reflexo pode exorcizar a possessão e liberar as emoções petrificadas. Para fazer frente a isso, o analista precisa conhecer sua própria força ao resolver lidar ou não com o arquétipo do mal. Se o ego frágil da analisanda estiver comprometido com a beleza, a luz e a verdade, estará vulnerável à invasão pelo lado sombrio do *Self*, e o analista pode ver-se de repente transformado em pedra. Ao falar do mal, Jung diz:

> [...] é bem possível que o indivíduo reconheça o aspecto relativamente mau de sua natureza, mas defrontar-se com o absolutamente mau representa uma experiência ao mesmo tempo rara e perturbadora. (1959, § 19)

O espírito que seduziria uma mulher a ponto de levá-la à própria morte é mais sombrio do que parte da sombra pessoal. Quando o *animus* da analisanda não tem desenvolvimento suficiente para defender-se da constelação, o analista assume o papel de Perseu, o *animus* positivo. Em alguns casos, porém, a análise profunda está fora de questão. O máximo que se pode atingir é o fechamento do caldeirão da bruxa. A analisanda pelo menos pode ser ajudada a reconhecer que não precisa bancar a tonta andando onde os anjos temem pisar.

Neste breve ensaio não é possível abordar exaustivamente os vários estágios da transferência/contratransferência. Um padrão genérico será suficiente. Geralmente, a paciente obesa, anoréxica ou bulímica atua como um para-raios numa família excessivamente unida. Consequentemente, a seu ego faltam limites físicos e psíquicos. Além disso, ela não tem uma relação fisicamente próxima com a mãe e, portanto, com seu próprio corpo. Ela pode não se ver nos próprios sonhos. Ela tem medo de que alguém invada seu espaço precário. Ao longo dos estágios iniciais, o analista recebe a transferência do *Self*, a ponto de responder inclusive uma pergunta aparentemente tão inocente quanto: "O que você vai comer no fim de semana?". Geralmente, a analisanda carregou e carrega imagens projetadas, idealizadas, de um ou de ambos os pais, mas estas se voltaram interiormente contra ela, e o que antes era uma plateia cheia de admiração se torna um juiz introjetado aniquilador. Temerosa de perder também o amor do analista, a analisanda se recusa a expressar seu verdadeiro eu. Em vez disso, ela revela a imagem idealizada e projetada com a qual sempre viveu. Agindo como um espelho, o analista reflete essa imagem, sugerindo apenas obliquamente os lados compensadores da sombra. Aos poucos, a analisanda consegue acreditar que não será rejeitada se revelar quem de fato é; gradualmente, sua mão direita começa a perceber o que a esquerda está fazendo.

Embora possa funcionar como pai e mãe no início da análise, se for uma mulher, no estágio seguinte a analista geralmente se torna um veículo do arquétipo da Grande Mãe, aquela que readota sem o conflito original, a mãe compreensiva, um pouco direcionadora, amorosa e não julgadora. Muitas vezes um sonho muito forte com a Grande Mãe abala as raízes racionais da analisanda, levando-a a dizer: "Não sei o que está acontecendo. Não sou religiosa, mas agora tenho essa sensação de paz interior. Sei que alguém lá em cima me ama". Durante essa fase, a analisanda pode ser levada a lidar com seus distúrbios alimentares por meio da tentativa de incorporar em si a Mãe Boa: alimentar-se bem, amar seu corpo, gostar de si como mulher de um modo que sua mãe não foi capaz de fazer. Antigas atitudes e rígidos padrões de comportamento podem ser substituídos pela confiança e pelo relaxamento, na musculatura do próprio corpo e na base da realidade. Sonhos de nascimento e de meninas pequenas que crescem rapidamente de um ano à puberdade surgem nesse estágio.

A ligação aos instintos é crucial. "O que preciso para me alimentar? Estou com fome? Esse alimento satisfará minha fome ou ela é de outro tipo? Quais as cores de que mais gosto? Sei receber as mensagens de meu corpo? O que ele está tentando me dizer? Estou com raiva? Estou com medo? Quando estou usando a comida para engolir meus sentimentos? Que outros tipos de comida me alimentariam a alma? Como me relaciono com as outras mulheres? Que nova energia é essa que flui através de mim?" Durante esse estágio, aceito o papel de mãe diante de minha filha que cresce, sendo firme e amorosa, incentivadora e prática, principalmente nos detalhes do dia a dia. Essencialmente, esse é o processo em qualquer análise na qual o analisando não tenha ligação com o corpo e esteja sem uma forte estrutura de ego. A diferença no caso de distúrbios alimentares está na intensidade do conflito. Os riscos podem ser altos e imediatos.

No ano passado, por exemplo, trabalhei com uma mulher de 33 anos que parecia haver progredido muito durante seus dois anos de análise. Ela havia apresentado um distúrbio alimentar no passado, mas, já que parecia tê-lo resolvido, concentramo-nos em construir seu ego. Embora tivesse um lado masculino muito desenvolvido e fosse muito inteligente, além de ocupar um cargo que exigia todas as suas qualidades de liderança e iniciativa, seu lado feminino era bastante infantil. Sua capacidade de objetivar o próprio sofrimento me fez acreditar erroneamente que fosse mais madura do que de fato era. Acreditava que ela compreendia bem o complexo negativo de mãe e juntas ríamos de algumas das extraordinárias imagens que seu inconsciente apresentava. Depois de dois anos de lenta construção conjunta de confiança, tivemos o que me pareceu ser a melhor sessão até aquele momento. Eu fora muito franca com ela ao falar sobre seu ego onírico e dissera: "Você é a filha de sua mãe". Percebi que o comentário não fora aceito, mas julguei que ela fosse forte o bastante para lidar com ele ou devolvê-lo a mim. O que eu não havia considerado fora o distúrbio alimentar "resolvido" e o fato de que ela estava fazendo uma dieta à base de frutas havia quase um mês.

Naquela noite ela teve um sonho caótico, parte do qual é transcrita a seguir:

> Sonho: *Um rapaz surgiu do nada e veio até nós. Ele quer sufocar-me e matar-me. Fico apavorada. Ele está possuído pelo Demônio. No fim não é um rapaz. É Marion [a analista]. Ela está vociferando, sufocando-me, matando-me. Recua. Está vomitando em cima de mim, bile verde. Estou aterrorizada, paralisada pelo medo. Preciso fugir dela, salvar-me. Marion saiu de cima de mim. Continua a vomitar e a gritar comigo. Uma terrível gritaria enche o espaço. Eu consigo levantar-me da cadeira. Recuo lentamente e me afasto sem me mexer. Consigo acordar desse horror.*
>
> *Meu corpo está empapado; os lençóis, arrancados da cama. Estou encolhida atrás da cama, morrendo de frio. Minha cabeça, meus ouvidos estão surdos com o barulho insistente, sinos chamando para a missa. Percorro o quarto com os olhos para ver se Marion realmente foi embora. Um verdadeiro terror toma conta de meu corpo inteiro.*
>
> *Nem sei como consegui ir ao trabalho na manhã seguinte. Meia hora depois de começar a trabalhar, corri ao sanitário para vomitar.*

Felizmente, a analisanda telefonou. Ela veio ao consultório em estado de "perda da alma". Uma grave enantiodromia havia ocorrido.

Justo no momento em que parecíamos confiar verdadeiramente uma na outra, a mãe boa se transformou na bruxa negativa devido a meu comentário prematuro, fruto de um erro de julgamento quanto a sua maturidade psicológica, e seu debilitado estado físico e psíquico. (A privação de alimento, como sabem os místicos, pode evocar sonhos e confrontos arquetípicos com o Bem ou o Mal.) Nesse momento, a analisanda via-se sob o risco de se atirar pela janela. Entretanto, sua análise realmente começou nesse ponto porque a analisanda teve a coragem de permanecer comigo e com seus sonhos. Quatro semanas depois, a "possessão" passou e permitiu-nos trabalhar com um quadro mais claro de sua situação inconsciente.

Outro fator distintivo no tratamento de distúrbios da alimentação é o corpo que está na outra cadeira. O analista que numa hora se senta diante de 120 kg de energia bloqueada e na seguinte diante de 40 kg de pele e osso precisa saber exatamente quais as reações inconscientes que estão sendo evocadas em seu próprio corpo. A analisanda está pronta para o mais leve sinal de rejeição – consciente ou inconsciente. Os analistas, como qualquer um, são produtos de uma cultura que venera a grande deusa Magreza e, por isso, devem ter cuidado com a reação da própria sombra aos 120 kg que estão na cadeira em frente. Não podemos constelar o curandeiro interior da analisanda se inconscientemente rejeitarmos seu tamanho. Ela e o corpo já são inimigos, de modo que nossa projeção inconsciente pode afastar ainda mais esses irmãos hostis. Em algum momento o analista que rejeitar o corpo abandonado se tornará o alvo da ira encerrada que irromperá contra ele, pois o antigo jogo ainda está sendo jogado – o velho jogo de fingir que "a feia" não está aqui. Ela já terá feito o mesmo a si própria recusando-se a subir numa balança, olhar-se no espelho, comprar roupas ou entrar num teatro cheio. Se o analista perguntar-lhe, como quem não quer nada, como anda o caimento de suas roupas, que filme ela assistiu ou que viagem está pensando em fazer, a analisanda começará a ver em si mesma um membro da sociedade. A gordura é um fato e o corpo deve ser aceito e tratado. Do contrário, em algum momento a transferência/contratransferência será demolida pelo demônio rejeitado – o demônio que odeia Deus, o demônio que a relegou ao ostracismo num mundo no qual ela jamais queria ter nascido, de qualquer maneira, um mundo no qual ela já está farta de tentar justificar sua própria existência, um mundo no qual ela sente que sua feiura não tem direito de existir. Uma hora o vampiro que lhe chupa o sangue tem de vomitar seu vitriólico veneno – mas não consegue despedaçar o continente se o analista realmente acredita que psique e soma são um só, que aceitar a analisanda é aceitar seu corpo.

O demônio pode emergir quando o peso já foi reduzido para trazer à tona o problema do relacionamento com um homem. Então, os verdadeiros problemas de sua feminilidade e sexualidade precisam ser enfrentados – problemas que foram mascarados por seu distúrbio alimentar. Em muitos casos, o corpo – seja ele só gordura ou ossos – funciona como o ataúde de vidro que encerrou a menina-mulher em seu pai idealizado, deixando, assim, os outros homens de fora. Então, se aparecer um pretendente, o demônio se sente ameaçado: "Você é minha. Mande esse homem embora", sibila ele. É comum a emergência de fantasias suicidas ou a regressão à obsessão assim que os homens começam a achá-la atraente. De repente ela é forçada a perceber a imagem idealizada que o pai e talvez a mãe projetaram sobre ela e a imagem idealizada que ela projetou de volta. Ela se vê presa numa inflação que a tornaria uma deusa inacessível, e que tornaria os homens deuses ou estupradores. Se rejeitar o que os pais projetaram nela, a culpa a aprisiona. Entretanto, se a perda de peso deve ser mantida ou prosseguir, ela tem de reconhecer a inflação a fim de exorcizar o peso da projeção idealizada e sua identificação com ela. Isso requer que ela abra mão de seus ideais de perfeição e aceite sua humanidade[1] – e a do homem que ela poderia amar. Esse é sem dúvida o estágio de transição mais difícil, devendo ser trabalhado desde o início da análise, do contrário, a perda ou ganho de peso será inevitável. A angústia de uma vida inteira vem à tona – o reconhecimento de sua feminilidade não vivida. Muitas vezes ela tem de enfrentar sua relação psiquicamente incestuosa com o pai e seus sentimentos hostis em relação à mãe. Ela se volta para o analista buscando uma confirmação de que é aceitável, mesmo que não seja perfeita. Em suma, ela tem pavor de sair de sua redoma e assumir a responsabilidade por sua própria vida.

Essa é a ocasião em que surge uma relação de mulher para mulher entre a analista e a analisanda; sonhos de lesbianismo podem surgir. Há muitas vezes a presença de algo como um luto que a analista precisa espelhar para que venha à consciência. O corpo em que a analisanda viveu já não está ali para funcionar como pelourinho, armadura ou abrigo em que ela pode se ocultar. A mulher pode então reconhecer que seu corpo foi um amigo maravilhoso, que não merecia de modo algum sua implacável punição. Além disso, ela terá de reconhecer também sua própria gaiola, a qual projetou sobre outras pessoas. Rituais conscientes são úteis para deixar que a antiga imagem do corpo – gordo ou magro – desapareça, dando espaço à nova. Uma nova consciência do corpo como templo da alma feminina abre o caminho para a sexualidade madura – a sexualidade integrada à espiritualidade.

As mulheres muitas vezes me procuram porque têm medo de fazer análise com um homem. "Sei que vou me apaixonar por ele. E não quero isso; quero concentrar-me em minha análise", dizem. Elas se conhecem bem o bastante para saber que sua ligação com o pai é tão profunda que qualquer relação espiritual íntima com um homem só pode ter um desfecho. Essas costumam ser mulheres com distúrbios alimentares

---

[1] Para uma análise mais aprofundada do tema, ver Woodman (1982).

críticos porque sua vida está no espírito. Se uma menina foi a queridinha do papai, ligada a ele por incesto espiritual, ela está fadada a transferir esse amor para o analista. Se ela for criativa, a criatividade provém dessa ligação. Sua relação com o corpo é irrelevante porque a relação com a mãe é imprevisível e sua realidade está na imaginação. Sua sexualidade arcaica está em seu corpo inconsciente, de modo que, embora possa ter muitos amantes, homem nenhum pode conquistá-la por meio da sexualidade. Ela pode até ser uma *femme fatale*, mas vive, age e tem existência por meio do pai ou do substituto deste. Embora sua análise possa ser extremamente produtiva, seu peso se estabilize e sua vida floresça, uma vez rompida a transferência/contratransferência, ela perde mais uma vez a alma. O analista se torna seu pai *trickster*, o complexo que, antes de qualquer coisa, a levou à análise. Evidentemente, o sofrimento da analista pode ser tão grande quanto o seu. O ponto crucial da situação, no meu entender, está em o analista deixar que a transferência ocorra, em vez de criar uma estrutura de ego forte o suficiente para conter o rico influxo do inconsciente. Conter a tensão entre os opostos de uma analisanda assim é um desafio e tanto. O analista tem de examinar detidamente sua própria contratransferência e trabalhar criativamente com ela para permitir que as projeções recuem gradualmente. O trabalho corporal pode ser muito útil no período de transição porque dá à analisanda um lar para onde retornar e de onde sair.

Quando possuem distúrbios alimentares, as mulheres de meia-idade quase sempre admitem que seu verdadeiro problema é espiritual: "Se estiver de acordo com Deus, estará de acordo com meu corpo", dizem elas. Os filhos já saíram de casa, os maridos podem estar envolvidos com o trabalho, mortos ou divorciados e sua angústia parece não ter fim. No caso delas, como também no das mulheres mais jovens, é muito importante saber se o distúrbio é antigo ou recente. A mulher que nunca se encontrou mas conseguiu sobreviver porque se identificava com o papel de mãe e esposa pode de repente sucumbir à angústia que ficou longos anos adormecida. Ela recorre ao analista para que este a salve. A ele resta apenas lutar para que ela se comprometa com seus próprios sonhos e sua vida interior. Embora as sessões possam fornecer-lhe apoio, a transformação, qualquer que seja, só ocorre quando a analisanda aceita a responsabilidade por seu destino.

Se a transferência é basicamente responsabilidade da analisanda, a contratransferência é basicamente responsabilidade do analista. A cada estágio do crescimento, a analisanda só abdicará das projeções se o analista também o fizer. A renúncia interior de um permite que o outro progrida; o processo é mutuamente compartilhado. Pela transferência e pelos sonhos da analisanda, o analista descobre nela os territórios inexplorados; pela contratransferência, a analisanda vivencia a si mesma de uma perspectiva totalmente nova. "A interseção do momento intemporal" (Eliot, 1952) é o ponto de tranquilidade em que ambos recebem a cura.

Neste ensaio, enfatizei mais a contratransferência do que a transferência porque venho percebendo cada vez mais o papel criativo que ela pode desempenhar no processo de cura. O observador influencia quem quer que observe. Se o analista de fato enfrentou sua própria sombra e aprendeu a amar o inimigo, a pedra rejeitada pelos construtores se torna a pedra fundamental de um novo edifício. A contratransferência pode funcionar como um bálsamo da cura. Em termos cristãos, assim como junguianos, o amor do inimigo não é natural mas *contra naturam*, não Eros mas Agape. Ele é, como disse Jung, uma forma de graça decorrente do sacrifício, uma ressurreição da morte.

Ao representar os diversos papéis que a analisanda lhe atribui – *Self*, Mãe, Pai, Amante Demoníaco –, o analista deve fazê-lo "com uma diferença". A diferença essencial é que eles não são de forma alguma papéis no sentido teatral ou ficcional, mas realidades psíquicas das quais a analisanda está isolada. A ficção reside não no analista, mas na analisanda. A obesa, a anoréxica e a bulímica não se creem humanas porque sua humanidade há muito foi rejeitada. A vida para elas consiste no desempenho de papéis e uma de suas únicas fontes de conforto e compensação é a crença de que "A vida é um palco/E homens e mulheres, simples atores" – um papel "falso" que rejeitam com desdém, mas ao mesmo tempo desejam ardentemente. Elas costumam afirmar que aquilo que vale para os outros não vale para elas. Como Homens Elefantes, buscam refúgio em alguma convicção subliminar de que são invisíveis, convicção essa apoiada pelo fato de que as pessoas raramente as olham nos olhos ou comentam direta e francamente a sua aparência.

Um dia, em nossa sala de espera, uma de minhas pacientes obesas estava esperando ao lado de outras duas ou três, lendo à mesa grande que lá está. Ela estava tão absorvida na leitura que não percebeu que estava impedindo minha passagem para a sala de atendimento.

– Por deus do céu, Louise, tire esse traseirão da minha frente! – exclamei. – Não vê que eu não posso passar?

O silêncio foi sepulcral. As outras analisandas olharam para mim, horrorizadas, e para Louise com curiosidade e piedade. Quando Louise entrou para a sessão, estava às gargalhadas. Quase sufocando de rir, disse:

– Você viu as caras delas quando foram obrigadas a me ver? Há mais de um ano que eu me sento ali e fico invisível naquela sala até que, quando afinal fui vista, não sabiam o que fazer comigo. Eu passei a ser de verdade.

Seu júbilo, que secretamente abrigava também a raiva e o desespero, encheu o consultório. Era como se ela tivesse acabado de vir ao mundo e eu fosse a parteira que anunciava: "É uma menina!".

É isso que quero dizer quando falo em pegar a pedra rejeitada na construção e torná-la a pedra fundamental do edifício. É isso que quero dizer com contratransferência criativa. As outras que estavam na antessala não conseguiram lidar com o que a flecha atingira – a ferida em sua carne. Não o conseguiram porque jamais a haviam confrontado em si mesmas ou, pior, estavam naquele momento no processo de enfrentá-la e ainda teriam de trabalhá-la. A obesa, a anoréxica e a bulímica que estão lutando com seu próprio sofrimento mal conseguem suportar a visão de uma mulher obesa. Conseguir não só suportá-la, mas também amá-la pela jornada psíquica e espiritual que pode evocar é, creio, a contratransferência de um amor que pode auxiliar no processo de cura que tem dentro de si a energia do *Self*.

Referências

ELIOT, T. S. 1952. *Four Quartets*. In: *The Complete Poems and Plays:* 1909-1950, p. 139. Nova York: Harcourt, Brace.

JUNG, C. G. 1959. *Aion: Researches Into the Phenomenology of the Self*. In: *Collected Works*, vol. 9, part 2. Princeton: Princeton University Press.

WOODMAN, M. 1982. *Addiction to Perfection: The Still Unravished Bride*. Toronto: Inner City Books.

Poder, Xamanismo e Maiêutica na Contratransferência

Murray Stein*

A análise estimulante da contratransferência promovida por Harriet Machtiger (1982) em *Jungian Analysis* mostra a necessidade de uma literatura mais franca sobre esse tópico crucial por parte dos analistas junguianos. Ela refere uma "reação quase fóbica" dos analistas diante de questões relativas à "revelação que transpira da contratransferência ou do próprio analista" (1982, p. 93), reação essa que interpreta como uma defesa contra o fundamental autoexame.

A razão da existência de lacuna tão impressionante na literatura psicológica é, creio eu, que a contratransferência tem sido e continua sendo guardada na sombra da prática analítica. O tópico não é analisado exaustivamente nem na literatura nem na prática analítica porque os

---

* **Murray Stein**, Mestre em Teologia, é presidente da Chicago Society of Jungian Analysts, com consultório particular em Wilmette, Illinois. Formado pelo Yale College, Yale Divinity School e C. G. Jung Institute de Zurique, é editor de *Jungian Analysis* (1982) e autor de In: *MidLife* (1983).
© 1984 Chiron Publications

analistas resistem à sua análise. Ele é demasiado doloroso, demasiado conflituoso, demasiado cheio de implicações na turva psique do analista. Assim, essas atitudes e reações – profundamente imbricadas no processo analítico qualquer que seja o momento – são eludidas e reprimidas.

Essa defesa contra a divulgação da contratransferência e contra a análise de suas fontes deve ser rompida se quisermos saber o que acontece na análise, seja para o bem *ou* para o mal. Portanto, apoio a convocação de Machtiger para um tratamento mais corajoso do tema. Talvez isso nos obrigue a repensar o modo como usamos ou deixamos de usar as atitudes e reações contratransferenciais na análise.

Em nossa área, aparentemente surgiu um consenso quanto à aceitação de que a contratransferência na análise é inevitável e pode ser muito útil na terapia se corretamente compreendida e tratada. Machtiger inclusive afirma que "é a reação do analista na contratransferência que constitui o fator terapêutico essencial na análise" (1982, p. 90), enfatizando que a "reação" curativa necessária é a *interpretação*. Machtiger insiste em que a contratransferência deve ser interpretada na análise:

> Uma das premissas de Jung era que a saúde do analista precisa estar à altura da doença do paciente. Essa interação requer o confronto e a interpretação consciente da posição de contratransferência/transferência consciente e inconsciente tanto do analista quanto do analisando e a subsequente integração dos conteúdos. (p. 100)

Por conseguinte, interpretando a contratransferência, o analista está demonstrando saúde fundamental e criando uma forma de trabalho da transferência.

Contudo, enquanto disciplina, a psicologia analítica está apenas começando a desenvolver o pensamento acerca da contratransferência e, consequentemente, os analistas junguianos geralmente acham incômodo e difícil trabalhar com ela na terapia. Ainda nos resta esclarecer o grande oceano do inconsciente no qual deriva esse fator do trabalho analítico; precisamos ainda descrever a espantosa variedade de imagens, sentimentos, dinâmicas psicológicas e estruturas presentes nas atitudes e reações motivadas pela contratransferência. Embora de fato a contratransferência tenha sido ocasionalmente analisada por analistas junguianos a partir de um ponto de vista teórico (conforme atesta a excelente revisão da literatura feita por Machtiger), se sua grande variedade de manifestações permanece em grande medida não comentada e não catalogada, quanto mais cuidadosamente analisada e compreendida.

Será realmente tão importante que os analistas se conscientizem da contratransferência e a interpretem? A "cura" de qualquer maneira não ocorre sem esse incômodo esforço? Certamente é verdade que muitas análises junguianas (e de outras correntes) terminam sem um maior esclarecimento da projeção e percepção recíprocas (a *Auseinandersetzung* de Jung) entre analista e analisando, mas pode-se aduzir que essas análises tampouco chegaram ao fim. A transferência não pode ser resolvida, muito menos integrada, a não ser que as projeções e contraprojeções de analista e analisando sejam trabalhadas. Queremos que os analisandos saiam da análise como pessoas inteiras e intactas; portanto, é preciso esclarecer a quem pertencem esses fragmentos de psique e compreender como eles interagem. Esse é o objetivo da análise quando o processo de transferência/contratransferência é interpretado e trazido à consciência: sua base de inconsciência mútua é trazida à luz e trabalhada em detalhe.

Precisamos começar a pensar num "estágio" ou "fase" da análise em que esse tipo de trabalho de interpretação do processo de transferência/contratransferência consiste no foco principal. A "interpretação consciente da posição de contratransferência/transferência consciente e inconsciente tanto do analista quanto do analisando" (Machtiger, 1982, p. 100) deve tornar-se mais central na prática junguiana do que tem sido até o momento. O que permanece como uma questão técnica não resolvida (e quase não discutida) é *quando* isso deve ser feito: logo no início, no fim ou ao longo da análise?

Algumas distinções básicas com relação à transferência/ contratransferência foram propostas pela comunidade analítica. Existe a distinção – logo mencionada em qualquer conversa – entre a contratransferência positiva e a negativa, que reflete a noção de transferência positiva e negativa. Ela parece significar basicamente que um analista "gosta" do analisando ou não. Como ponto de referência, ela não é totalmente inútil nem irrelevante, mas deixa muito a desejar quanto a detalhes.

Uma distinção mais interessante e analiticamente mais útil é a que opõe a contratransferência originada de forma autônoma pela psique do analista (as contratransferências "ilusória" de Fordham [1978], "projetiva" de Dieckmann [1976] e "neurótica" de Racker [1968]) à que surge em reação à psique do analisando (as contratransferências "sintônica" de Fordham [1978], "objetiva" de Dieckmann [1976] e "concordante" de Racker [1968]). Contudo, ela não se sustenta porque, como observa Machtiger, os dois sujeitos envolvidos nessa relação não podem ser tão claramente separados. É impossível dizer com plena certeza quem possui quais conteúdos psíquicos no processo de transferência/contratransferência. É impossível também garantir quem está em estado reativo a quem ou a quê: o analista está reagindo ao inconsciente do analisando ou ativando-o? E vice-versa, Jung afirmou que, no complexo processo de transferência/contratransferência, *ambos* – analista e analisando – "se veem numa relação fundada na inconsciência mútua" (1946, § 367) e ambos nela contribuem com estímulos inconscientes. Não creio que *toda* transferência ou contratransferência seja apenas intrapsiquicamente ativa ou apenas interpessoalmente reativa. As contratransferências sempre são a um só tempo *tanto* ilusórias *quanto* sintônicas. No entanto, essas distinções precisam ser feitas se quisermos aumentar o nível de consciência acerca dos conteúdos e dinâmicas da contratransferência.

Uma complicação que se acrescenta ao projeto de conscientização da contratransferência é de ordem metodológica. O método comumente usado até agora pelos analistas, uma combinação de introspecção e autoanálise, não distingue por si só "quem possui quais" fragmentos de material psíquico nos processos de transferência/contratransferência. Mesmo que os analistas conscientemente decidam examinar sua contratransferência por meio desse método, a tarefa ainda estará fora de seu alcance, pois o método não lhe é adequado. Sozinhos, os analistas dificilmente chegarão à verdade. As fantasias e pensamentos secretos do analista podem ser trazidos a lume e, ainda assim, não revelar a verdadeira contratransferência, justamente porque ela *é* inconsciente. De forma que as autoanálises e as confissões não bastam. Para estar à altura da tarefa de analisar a contratransferência, o método deve ter o poder de investigar não só as atitudes e reações conscientes do analista, como também as inconscientes.

Esse método poderia valer-se de várias fontes de informação. Os analisandos são extremamente (consciente ou inconscientemente) sensíveis à contratransferência e a revelam aos analistas por meio quer de fantasias e sonhos, quer de associações e comentários indiretos. Seu testemunho pode constituir uma fonte fundamental de dados. Em segundo lugar, as reações inconscientes dos analistas aos analisandos, conforme indicam os sonhos e fantasias espontâneas e as associações provocadas pelo material do analisando, podem ser coletadas e examinadas. Por último, as intervenções dos analistas no próprio cenário da terapia podem ser cuidadosamente observadas, já que representam fortes indicadores da contratransferência. Se compilassem e analisassem esse material, os analistas chegariam bem perto de uma avaliação mais precisa da contratransferência do que o antigo método poderia permitir.

A necessidade de análise de controle

Para levar esse método a suas últimas consequências, seria necessário que o analista submetesse seu trabalho à supervisão direta de outro profissional dedicado a examinar todas as suas intervenções, associações, sonhos e fantasias relevantes, bem como os do analisando. Utilizando esse rigoroso tipo de análise, a análise junguiana se acercaria muito mais de uma explicação mais detalhada da contratransferência do que pela confissão e pelo autoexame consciente.

Como indicam as referências bibliográficas, dispersas na literatura junguiana há alusões e referências aos três tipos de contratransferência aqui examinados. Embora esta descrição não seja completamente nova, ela lhes acrescenta, creio eu, mais detalhe e coerência.

Os nomes dos três tipos de contratransferência a que me refiro – de poder, xamânica e maiêutica – são indicativos de suas dinâmicas e valores centrais, bem como do tipo de relação diádica que exigem. Cada um produz suas próprias imagens e ansiedades e tem padrão de base arquetípica específico. Para o analista, todos podem funcionar como meio de descarga de tensões e pressões que se acumulam ao longo da análise; todos podem fornecer uma orientação (em geral, parcialmente inconsciente) naquilo que está fazendo; todos podem liberar um fluxo satisfatório de significado e realização interior quando se atendem suas exigências. Todos podem curar, mas todos podem criar distorções e fazer mal. Isso quer dizer que nenhum é só bom e nenhum é só mau. Todos precisam ser analisados se demonstrarem estar interferindo na terapia.

De forma alguma esses três tipos cobrem toda a gama de reações de contratransferência. As contratransferências baseadas em padrões mãe-bebê (conforme Machtiger, 1982) e eros-sexual (conforme Schwartz-Salant, pp. 7-34 deste volume) são mais reconhecidas e discutidas na literatura. Se nomeio essas outras três e proponho-me refletir sobre elas, é na esperança de que isso possa ajudar os analistas a identificar atitudes e reações de contratransferência que não sejam maternais nem sexuais e incentivar a descrição e o exame de mais tipos.

Poder

No curso da análise, o analista muitas vezes se apercebe de uma pressão forte ou sutil para assumir o comando da situação e dirigir o analisando. O poder – com o que me refiro à necessidade ou desejo de ter controle – jamais está ausente das relações humanas, e a relação terapêutica entre analista e analisando não é exceção. As evidências que atestam esse tipo de reação de contratransferência são muitas: o analista dá um conselho não pedido pelo analisando sobre como melhorar uma atitude mental; recomenda terapias auxiliares, medicamentos ou hospitalização; insiste no cumprimento rígido do horário e na aceitação do local do tratamento; faz interpretações agressivas que estabelecem dominância; trivializa a influência terapêutica de outras pessoas sobre o analisando; unilateralmente põe fim à análise. Todo analista conhece o impulso de ganhar e manter controle sobre os analisandos e sobre o processo analítico, e a maioria se sente um tanto culpada ao exercer poder, pelo menos ostensivamente, dentro do contexto analítico. Espera-se que os analistas não tenham desejo.

Os analisandos tampouco estão imunes ao desejo de poder. É sabido que às vezes eles de fato assumem o controle e a posição de poder. Quando isso ocorre, a posição de contratransferência do analista pode, por sua vez, recair na renúncia ao poder e na aceitação da impotência. Se soa como uma imitação do ideal do analista ascético, esse total sacrifício da vontade de poder sobre o analisando e o processo analítico pode, na verdade, ter sua origem num desejo masoquista contrário de ser controlado e conduzido.

A questão do poder não se resolve dando controle ao analisando. Os analisandos gradualmente se inquietarão com os ataques compulsivos do analista e com sua necessidade de controlar o processo analítico, tornando-se ansiosos acerca de seu sucesso nessa empreitada, mas o comportamento não cessará enquanto a necessidade de controle não for analisada. Porém ela não pode ser analisada da posição masoquista: dela o analista não tem nenhum poder *analítico*.

É relativamente inútil repreender a si mesmo ou a outrem por envolver-se nesse tipo de processo de transferência/contratransferência, qualquer que seja o lado em que se esteja no jogo do poder. Mais difícil, mas analiticamente mais útil, é compreender por que isso aconteceu e perceber a dinâmica que está por trás.

Guggenbühl-Craig (1971), importante expositor do tema do poder, afirma que quando a busca de poder se torna primordial na "situação de ajuda", uma unidade arquetípica se clivou em duas partes. Eu as chamo toscamente de "a menor" e "a maior": o paciente doente × o médico saudável; o pobre cliente × o profissional estabelecido, superior na hierarquia social; o pecador penitente × o sagrado confessor; o aluno ignorante × o sábio mestre e assim por diante. (Ou vice-versa: o paciente saudável × o médico doente etc.) Na análise, o mesmo tipo de coisa pode ocorrer. Um padrão arquetípico bipolar se cliva, o analisando aceita e carrega um de seus lados; o analista, o outro. Isso se processa por meio de uma colaboração recíproca e muitas vezes inconsciente, na qual a projeção e a identificação projetiva são a dinâmica-chave.

O resultado dessa clivagem é o distanciamento emocional: analista e analisando tornam-se muito "diferentes" e seu relacionamento passa a ser matizado por essa sensação de "alteridade". O analista (ou o analisando, a depender de quem esteja na posição de poder) parece transcender o processo, afetando-o de longe como um Apolo.

Naturalmente, o analista quer saber quando e por que esse (ou qualquer outro) tipo de contratransferência/transferência se arma na análise. Ela pode dever-se à atitude contratransferencial original do analista, a qual já está estabelecida e a postos antes que o analisando chegue a entrar no consultório. Ela é simplesmente uma postura profissional, uma postura de poder e comando – o analisando a aceita e se adapta a ela ou a rejeita e vai embora. Mais comumente, porém, a dinâmica de poder se estabelece à medida que a análise prossegue, quando os complexos de cada um dos parceiros começam a participar dos do outro. Aqui o padrão de poder deriva da psicodinâmica em jogo entre dois determinados indivíduos, enquanto outras áreas da vida de cada um podem permanecer relativamente livres desse padrão.

Certas personalidades tentam provocar o sádico (ou o masoquista) que há no analista: elas estão inconscientemente procurando alguém que assuma a responsabilidade e exerça controle sobre elas, que lhes diga o que fazer, dê conselhos e as castigue por sua inadequação; ou são inconscientemente levadas a dominar os outros. Os analistas podem deixar-se cooptar por esses impulsos e pressões inconscientes e acabar desempenhando o relevante papel de parceiro, identificando-se com um lado da estrutura bipolar clivada e projetando a outra. A relação resultante atualiza uma psicodinâmica que é interior em cada parceiro – mas, uma vez exteriorizada, é compartilhada por ambos. A cooperação ou conivência dos parceiros é o que precisa ser analisado e trabalhado.

Quando a dinâmica do poder assume o controle na análise, em geral não adianta muito dizer simplesmente que houve uma clivagem de arquétipo. Os detalhes do processo de transferência/contratransferência que levou as coisas a esse ponto precisam tornar-se conscientes. Que elementos inconscientes do analista e do analisando contribuíram para essa clivagem? O que pertence a quem? Ambos os lados da interação precisam ser abertamente analisados e trabalhados no curso da terapia.

Nos sonhos de analisandas que assumem a posição masoquista e fazem uma projeção sádica no analista, por exemplo, muitas vezes um tema sexual está associado com esse padrão. No processo de transferência/contratransferência resultante, uma relação erótica é encenada por meio do drama de dominação e submissão. A submissão masoquista passa a ser escrava do amor. Enquanto isso, o analista se vê inexplicavelmente estimulado ao sentir-se impelido a castigar a analisanda por suas deficiências, a fazer interpretações excessivamente ásperas ou sarcásticas, a diminuir-lhe as conquistas e atacar-lhe os esforços de autocompreensão, a criticá-la por todos os seus fracassos na vida. A reação de contratransferência dele será parcialmente sintônica e, por isso, pode lançar luz sobre os processos intrapsíquicos da analisanda: na contratransferência, ele pode perceber a raiva sádica do *animus* e vivenciar diretamente as figuras interiores rejeitadoras e punitivas (em geral precoces e parentais) da analisanda. Essa informação pode produzir ricas interpretações genéticas e dinâmicas.

Quando a reação de contratransferência torna-se forte e realmente capta a personalidade do analista, há também um lado ilusório. Quando o analista se sente preso, tem raiva, acha que não merece o pagamento que recebe, perde a vontade de continuar com a analisanda a menos que esta comece a reagir e melhorar, ele está sob o domínio de sua reação de contratransferência e sob a ameaça de ser subjugado por seus próprios ataques interiores. O analista estará lutando para controlar o caos de seu próprio inconsciente, provocado na maioria das vezes por uma *anima* obstinada e difícil de se deixar levar ou por um fator mãe que cria sensações de inadequação e autocrítica excessiva com relação a componentes infantis do ego (elementos da sombra). Ele projeta essa imagem infantil (a sombra) sobre a analisanda e a ataca ou tenta moldá-la, da mesma forma que sua mãe interior ou irmã-*anima* o ataca e tenta fazê-lo crescer. A analisanda é submetida à autopunição do analista e a suas tentativas de autocontrole.

Embora possa ser vista – e legitimamente interpretada – como derivada de uma reação ao inconsciente de uma determinada analisanda, essa reação de contratransferência deriva também dos problemas não resolvidos de *anima* e ego do próprio analista, mas em geral *não* é interpretada assim. O abandono do processo analítico nesse momento constituiria o cúmulo do jogo de poder por parte do analista.

Ao analisar o processo de transferência/contratransferência, os lados da relação precisam ser interpretados um à luz do outro. Na complexidade de tal processo, não há fatores *puramente* individuais ou intrapsíquicos que não possuam sinapses com a personalidade do parceiro. Se a transferência for analisada sem referência à complexa participação que o analista tem nela, é provável que os analisandos interpretem a mensagem como se a "doença" fosse só deles. Isso servirá apenas para alimentar a posição masoquista, em vez de proporcionar alguma revelação quanto à forma como essa posição deflagra um ataque sádico ou evolui de uma estratégia para obter amor até tornar-se uma perda de poder. Sem essa revelação, o padrão não pode ser transformado porque as pressuposições inconscientes subjacentes não são trazidas à baila de maneira terapeuticamente eficaz. Analisando o processo de contratransferência/transferência como um todo complexo, por outro lado, o analisando pode descobrir como esse padrão opera e produz o impasse interpessoal e intrapsíquico.

A tarefa de analisar os aspectos de uma contratransferência de poder, sejam eles sintônicos ou ilusórios, não é fácil. Mas os dois tipos apresentam problemas distintos. No primeiro, a contratransferência é usada para interpretar os estados interiores do analisando, e aqui parece relativamente fácil ligar a dinâmica da contratransferência à da transferência. No caso de uma contratransferência ilusória, todavia, o analista deve analisar as projeções sobre o analisando. O primeiro tipo de análise revela ao analisando seus padrões intrapsíquicos, genéticos e interpessoais; o segundo o alivia da carga das projeções do "curandeiro".

Porém, como a contratransferência jamais é completamente ilusória, a sua interpretação sempre pode ser ligada à transferência. Na constelação das contratransferências em que o analista está no poder, o analisando está, de certa forma, pedindo inconscientemente para ficar por baixo e ser curado passivamente. Assim, pode-se recorrer a uma interpretação da contratransferência/transferência para mostrar essas características e ligá-las à raiva por trás da posição masoquista, sentida pelo analisando ao ter de enfrentar o mundo em seus próprios termos e participar ativamente da vida.

Apesar da importância de reconhecer que as afirmações de poder – quer sob a forma de supremacia intelectual, oferta de conselhos, ensino de técnicas ou recomendação de medicamentos – jamais curaram nenhum problema psicológico profundo e muitas vezes foram prejudiciais, é igualmente fundamental perceber que às vezes, ao afirmar conscientemente o poder, o analista está fazendo justamente o que há de mais certo e útil a fazer. Afirmar o poder em nome de "conter" e de chamar o analisando ao dever são gestos de atenção e interesse terapêutico. Em geral, as afirmações de poder não são bem direcionadas quando provêm de uma atitude de contratransferência crônica ou de uma reação da sombra. Contudo, elas podem funcionar bastante bem quando compensam o impasse de uma abordagem inicial demasiado passiva do analista. Aqui o impulso para assumir o controle e fazer as coisas andarem pode fornecer a força necessária para interpretar o processo inicial de transferência/contratransferência e ir além dele.

Um comentário pessoal é que a contratransferência de poder surge como um aspecto sombra dos analistas, principalmente dos que conscientemente alegam que operam fora de um "modelo de Eros". Em princípio, naturalmente, isso faz sentido, já que poder e amor costumam formar um par de opostos complementares. Entretanto, é sempre surpreendente constatar a ocorrência de uma atitude inconsciente muito forte de contratransferência de poder sem que o "analista-eros" a perceba. Como ela é realmente pertencente à sombra, esses analistas não conseguem descobri-la por meio do autoexame ou da introspecção consciente, de modo que as reações dos analisandos só conseguem deixá-los aturdidos. Ficam sempre surpresos e perplexos e tornam-se demasiado defensivos quando os analisandos ou seus próprios analistas tentam mostrar-lhes isso.

Uma dessas analistas teve um sonho em que estava dirigindo um carro muito potente e aterrorizando os pedestres atirando com uma pistola pela janela. Ela não atirava diretamente contra as pessoas, mas, sim, num objeto distante em outra direção. Todavia, as pessoas ficavam apavoradas e ela não conseguia entender por quê; afinal, não atirava contra elas e sim na direção contrária! Se essa analista tivesse conseguido interpretar esse sonho ou aceitado a interpretação do analista que a supervisionava (o que, infelizmente, ela não fez), teria percebido o que havia de errado com tantos de seus pacientes: eles reagiam, aterrorizados, a suas descargas de poder inconscientes, enquanto seus propósitos conscientes não eram de modo algum prejudiciais nem mal-intencionados. Na realidade, ela conscientemente abraçava a ideia da cura por meio de relações de proximidade e amor.

O xamanismo

Em seus escritos sobre a transferência e a contratransferência, Jung não se detém muito na dinâmica do poder, embora ocasionalmente tire o chapéu para Adler. Mas, se tende a passar por cima da questão do poder, tende igualmente a frisar um modelo xamânico de cura na contratransferência (conforme, por exemplo, Jung, 1921, § 486; 1931, § 163; McGuire e Hull, 1977, p. 345). Seus vários comentários esparsos acerca da dinâmica da transferência/contratransferência na análise seguem em larga medida este modelo: os analistas se contaminam pelas doenças de seus analisandos e então promovem a cura curando-se a si mesmos e administrando o remédio que produzem em si ao analisando pela "influência". Na análise, esse processo xamânico de cura é, evidentemente, levado a cabo num plano psíquico, em vez de físico.

Conforme descrito por Jung, trata-se de uma interação muito complexa e sutil, que abarca a personalidade inteira de ambos os parceiros numa espécie de combinação alquímica de elementos psíquicos (conforme 1946).

Se a dinâmica de poder cria distância entre analista e analisando e aumenta a percepção de suas diferenças de valores, o processo xamânico produz o efeito contrário. As diferenças se esfumam e a distância se reduz em favor da identificação psicológica. Analista e analisando se vivenciam como "semelhantes", não como "opostos". À medida que transcorre esse processo de identificação psicológica, a empatia que flui entre os parceiros tende a intensificar-se; o que acontece com um também acontece com o outro; eles ressoam psicologicamente um conforme o outro. E é aí que o analista se "contamina". Inquietações psíquicas como a depressão, a ansiedade, a retração esquizoide, invasões de impulsos e figuras inconscientes são experimentadas, muitas vezes simultaneamente, tanto pelo analisando quanto pelo analista, pois os dois sistemas psíquicos correm em linhas paralelas, a psique do analista cedendo às características da paisagem interior do analisando. Por meio desse tipo de espelhamento, a psique do analista absorve e reflete a "doença" do analisando.

Como se poderia imaginar, esse tipo de contratransferência ocorre apenas com analistas que, além de uma noção algo elástica de identidade pessoal, têm um ego cujos limites são demasiado permeáveis. Mas muitos analistas baixam suas defesas de ego na terapia e abrem-se à psique da outra pessoa, mesmo porque o treinamento da psicoterapia geralmente fomenta até certo ponto esse tipo de comportamento. Assim, esse tipo de processo de interação não é tão raro quanto se poderia pensar, principalmente porque essas identificações costumam ocorrer, tanto para o analisando quanto para o analista, num nível profundamente inconsciente, que evita totalmente as defesas do ego.

Como um curandeiro xamânico, porém, o analista não só se contamina pela doença do analisando como também encontra uma forma de curá-la. À medida que a doença é assimilada e sofrida, o analista começa a buscar a cura: analisando a constelação psicológica interior criada por essa doença; examinando sonhos, associações e outros materiais inconscientes relevantes ao problema; procurando símbolos que emergem do inconsciente e representam o fator de cura em jogo; recorrendo à imaginação ativa. O inconsciente reage ao sofrimento do curandeiro e permite-lhe aplicar os símbolos curativos à ferida, assim curando a doença. Assim, graças a uma necessidade pessoal de cura, o analista é forçado a desenvolver-se lidando com os efeitos criados pela doença do analisando.

A tarefa terapêutica, então, é entregar esse remédio ao analisando. Da mesma forma que na contaminação, a entrega do medicamento ocorre por meio do processo de contratransferência/transferência: o analista, diz Jung, "influencia" o paciente (1931, § 169). A influência, nesse caso, implica não só os efeitos que podem ser atingidos mediante a recomendação de bons conselhos ou rituais de cura e até mesmo interpretações marcadamente empáticas, mas também a ideia de que o inconsciente está profundamente envolvido nesse nexo interacional. Analista e analisando são ligados inconscientemente assim como apresentam-se conectados conscientemente. E é através também desse canal – o do inconsciente – que o remédio passa ao analisando. É a isso que se refere o velho comentário de que "todo o ser" do analista é envolvido no processo de contratransferência/transferência. A influência da "substância" curativa do analista é transmitida ao analisando por meio dos muitos capilares sutis que correm entre os dois parceiros dessa complexa relação.

Em termos analíticos modernos, esse ciclo xamânico pode ser entendido como uma mistura de *identificação, identificação projetiva* e *introjeção* mútuas entre analista e analisando. Eles entram em estado de identificação; projetam conteúdos psíquicos um no outro e identificam-se com eles; cada um é introjetado até certo ponto pelo outro.

(Todas essas dinâmicas foram abordadas por Jung por meio do conceito de *participation mystique*, um estado em grande medida inconsciente no qual analista e analisando afetam-se e deixam-se afetar um ao outro.) A influência curativa da personalidade do analista, constelada em reação à doença interiorizada pelo analisando, gera neste um efeito curativo, pois o processo de autocura do analista deflagra um processo semelhante na psique do analisando. As forças interiores de cura deste são ativadas pela – ou em torno da – imago curadora do analista.

Esse tipo de processo de contratransferência/transferência parece de vários modos ideal na obtenção da meta da cura psicológica visada pelo analista. Mas, apesar de tentadora, a magia xamânica na análise tem seus riscos. Ela pode ser um tiro pela culatra e acabar em *folie à deux*, impasse analítico, principalmente quando as dinâmicas fontes de identificação mútua não são analisadas e permanecem inconscientes. É grande a tentação de simplesmente deixar-se levar pelo fluxo desse processo e não analisá-lo na esperança de que ele promova uma cura mágica. O processo xamânico não é necessariamente o ideal e os analistas devem ser capazes de detectar sua ocorrência, compreender o que ele significa e como funciona e prever alguns de seus riscos, pois ele cria muitos pontos cegos e pode facilmente ficar ancorado na sombra do analista, o que por sua vez criaria uma resistência feroz à análise.

Vimos que, quando a questão é o poder, os opostos se dissociam e se constela uma forte diferença e oposição entre o analista e o paciente. O processo xamânico, por sua vez, baseia-se na constelação de uma identidade entre os parceiros. Nele as psiques se conduzem pelo impulso de ser o mais semelhantes possível, o que as faz tornar-se inconscientes nos mesmos pontos. Elas compartilham, ou tentam compartilhar, o mesmo nível de maturidade, o mesmo masculino/feminino, as mesmas constelações ego/sombra; até mesmo vários objetos interiores – como as imagos e complexos de mãe e pai – tornam-se tão mesclados que mal se pode distinguir a história pessoal de um da do outro. Idealização e menosprezo mútuos podem ter lugar, com um representando o *alter ego* ou "gêmeo" psicológico do outro. A pressuposição de que a identidade prevalece em tantas áreas conscientes e inconscientes naturalmente obscurece a visão analítica e enfraquece o "controle analítico". A análise passa a ser uma espécie de autoanálise, com o mesmo pendor para a cegueira diante da sombra e o consentimento mútuo para a exclusão do consciente da verdadeira patologia.

Além disso, a contratransferência xamânica pode resvalar facilmente para o que Fordham (1978) chamou de contratransferência "ilusória". O que o analista tenta tratar e curar – por exemplo, a imago de uma "mãe má" – na verdade está sendo projetado sobre o analisando, que pode mostrar-se conivente identificando-se com ela e mostrando-a ao analista para que a trate. A ilusão reside em que o analisando é a fonte da doença da qual o analista padece. Na verdade, as tentativas que o analista faz para curar-se não são xamânicas neste caso, pois os analisandos agem como receptores do material inconsciente projetado e catalisadores da autoterapia.

Um processo continuado de contratransferência/transferência jamais pode ser puramente ilusório, claro, pois é preciso que o analisando tenha a capacidade interior de aceitar a projeção do analista e identificar-se com ela, o que implica estruturas interiores similares. Mas na contratransferência em si, conforme transparece durante as sessões, o analista luta para curar-se trabalhando com o que originalmente se classificava como a doença do analisando. (O analista talvez se sinta melhor depois dessas sessões, ao passo que o analisando se sente pior.) Assim, pode haver uma reversão, por meio da qual o analisando se torna o curandeiro xamânico, sofrendo para curar a doença do analista. A necessidade transferencial de curar o analista foi reconhecida (ver Searles, 1979), mas o lado contratransferencial disso

– conforme o qual o analista inconscientemente oferece sua doença ao analisando para tratamento xamânico – não foi alvo de muitos comentários. Essa reversão da direção terapêutica é a grande sombra não analisada da contratransferência de ordem xamânica.

A maiêutica

Em "*Neue Bahnen der Psychologie*" (*New Paths in Psychology*), escrito em 1912, Jung usa o termo *maiêutica* para caracterizar a psicanálise:

> Trata-se de catarse de um tipo especial, algo como a maiêutica de Sócrates, a "arte da parteira". É de esperar que muitas pessoas que adotam certa postura com relação a si mesmas na qual acreditam ferozmente achem a psicanálise uma verdadeira tortura. Pois, conforme o antigo dito místico "É dando que se recebe", elas se veem convidadas a abandonar suas mais queridas ilusões para que algo mais profundo, mais justo e mais amplo possa surgir dentro de si. Só por meio do mistério do autossacrifício o homem pode encontrar-se. É a autêntica sabedoria antiga que renasce no tratamento psicanalítico e é particularmente curioso que esse tipo de educação psíquica se torne necessário no apogeu de nossa cultura. Em mais de um aspecto ela pode ser comparada ao método socrático, embora se deva frisar que a psicanálise atinge regiões bem mais profundas. (§ 437)

Nessa afirmação se reflete um tipo de contratransferência: o analista age como parteira num processo de nascimento psicológico no qual "algo mais profundo, mais justo e mais amplo" que a antiga atitude consciente (dominada pela *persona*) cresce no analisando. Nesse tipo de relação de contratransferência/transferência, os analistas assumem a posição de assistentes num processo criativo que se desenrola dentro de seus analisandos.

Nesse processo maiêutico, as trocas centrais dentro da relação analítica giram em torno da criatividade e da revelação do *Self*. A metáfora de base para o que acontece não é a do domínio (poder) nem a da cura (xamanismo), mas, sim, a do nascimento. A tarefa do analista é assistir na revelação daquilo que está no inconsciente do analisando. A partir daí, aceitando e trazendo esse *Self* ao mundo, o analista facilita sua incorporação aos padrões da vida cotidiana.

Nessa contratransferência, o analista tipicamente entra em estado de receptividade profunda ao inconsciente do analisando; o que está em segundo plano vem ao primeiro e o inconsciente torna-se palpável. O analisando deve seguir-lhe o exemplo e tornar-se receptivo ao inconsciente, tornando-se o parteiro de si mesmo no drama da criatividade e revelação do *Self*. Nos momentos mais difíceis desse processo de parto, o analista pode atender às ansiedades do ego, mas o compromisso fundamental continua sendo atender o processo criativo que surge fora dos invisíveis recessos do inconsciente. Muitas vezes, o analista é cativado pela visão da completude e das possibilidades futuras do analisando (a "criança"), de um *Self* ainda em grande parte inconsciente que deve ser trazido à luz e integrado. O analista vê, para além do superficial, o significado oculto de um sintoma. Percebe-se uma divindade, ouve-se um chamado que clama por seu reconhecimento.

A comparação que Jung faz entre a psicanálise e a maiêutica baseia-se na experiência clínica das distintas imagens conscientes que o analisando tem do *Self* no início da análise e a representação do *Self* que gradualmente emerge com a exploração consciente do inconsciente. As primeiras provêm de um falso *self*, de um *self* baseado na *persona*, e se constroem no decorrer de um longo processo de identificação e introjeção; a segunda é o *Self* inato, autóctone, que emerge na análise à medida que se consulta o inconsciente e se lhe permite a revelação de seus conteúdos. Como assinala Jung no trecho citado, o processo de separação do *self* baseado na *persona* e de aceitação de outra imagem bem diferente do *Self* pode ser extremamente sofrido. Mas essa dor pode ser minorada pela presença cuidadosa e empática do analista maiêutico.

Naturalmente, o trabalho analítico diverge em vários aspectos do trabalho da parteira. Um deles está no fato de que o da parteira termina quando ela traz a criança ao mundo, ao passo que o do analista, como o do educador, não para por aí. Ao contrário do nascimento real, a emergência do *Self* não é um evento pontual, por mais numinoso que possa ser seu vislumbre num sonho ou visão da vigília. Por outro lado, porém, cada hora analítica pode ser em parte um evento de caráter maiêutico, no qual vem à luz novo aspecto do *Self* inconsciente. No decorrer de um período longo, esses "mininascimentos" aumentam a conscientização das complexidades e da riqueza do *Self*. Essa noção consciente da completude é o "bebê" que o analista espera que o analisando leve consigo no fim da análise.

Segundo Jung, "a psicanálise, considerada como técnica terapêutica, consiste na principal de diversas análises de sonhos" (1912, § 437). No processo maiêutico, elas têm funções críticas: revelar onde está o "bebê", qual o seu grau de amadurecimento para o nascimento e a que distância está da emersão na consciência do ego, bem como a localização das defesas do ego e os pontos estreitos onde haverá tensão em sua passagem rumo à consciência. Os sonhos funcionam como raios X, e a tarefa do "maieuta" é lê-los para obter informação acerca do desenvolvimento do processo em curso. Contudo, cada interpretação de sonhos é também um dos "mininascimentos" que possibilitam que o *Self* veja a luz do dia.

Na posição de contratransferência maiêutica, o analista tenta escutar principalmente as mensagens emitidas pelo inconsciente por meio de sonhos e do ruído provocado pelo ego, em geral descartando ou descontando os sentidos manifestos do ego. O analisando, que também se envolve nesse processo maiêutico, vivencia uma abertura gradual do ego ao inconsciente. Idealmente, ele nutrirá uma profunda confiança na capacidade do analista, que se concentrará em penetrar no significado inconsciente presente em associações, imagens, palavras e sintomas. O analista quer principalmente reunir aspectos do *Self* inconsciente – os complexos e imagens arquetípicas – e vislumbrar sua estrutura e unidade interior. Isso requer que o analista ouça e veja além dos jogos de palavras da superfície da comunicação consciente e efetue sondagens tão precisas quanto possível das profundezas que a ela subjazem. Ao final, um pouco da verdade do *Self* inconsciente do analisando se torna claro e pode ser trazido à consciência.

Embora se baseie num modelo médico, por assim dizer – assistir no processo biológico do nascimento –, esse tipo de contratransferência é bem diferente daquele em que normalmente pensamos. Em geral o modelo médico implica distância clínica por parte do analista – é a imagem de um cirurgião friamente extirpando tecidos patológicos e depois deixando ao paciente a tarefa de recuperar-se mais ou menos por si próprio. Nesse modelo, o analista detecta a patologia, trata-a e tenta removê-la da personalidade do analisando ("remover o complexo, esclarecer as distorções"). A atitude maiêutica é muito diferente: o analista pressupõe um processo basicamente saudável e sua presença destina-se a assistir o funcionamento normal. A análise que resulta da postura maiêutica pode abarcar um pouco de análise redutiva das defesas do ego, embora tenha um olho sempre posto no *Self* emergente à medida que este cresce e ruma à consciência. A atitude do analista maiêutico não é meramente passiva e receptiva, desde quando há um papel ativo a desempenhar no trato de defesas e resistências e, caso interfiram com o nascimento, em sua remoção.

O maior risco desse tipo de contratransferência é que ele pode ser ilusório. O analista pode ser tomado por uma visão do *Self* inconsciente que é mais sua que do analisando. Por conseguinte, os esforços para promover o nascimento são inconscientemente governados por uma necessidade pessoal de criar e dar à luz um *Self* ainda inconsciente. Nesse caso, o analista estará projetando no analisando um processo criador, esperando encontrar um bebê onde talvez não haja sequer gestação ou apenas uma falsa gravidez.

Claro que, de certa forma, a análise é sempre parcialmente maiêutica também para o analista. Por meio dela e, especialmente, da análise da contratransferência, o analista se torna mais consciente do *Self*, que será sempre um tanto inconsciente. Além disso, ele sempre está no processo de construir uma maior conscientização do *Self*.

Mas, quando é crônica, a atitude de contratransferência maiêutica pode obstruir a visão do analista. Para alguém que a transforma em sua forma habitual de agir, talvez seja intolerável admitir que o inconsciente dos analisandos nem sempre está em gestação ou cheio de criatividade e que eles às vezes estão tão imbricados em déficits do ego e encerrados em defesas patológicas que qualquer uma dessas coisas estará fora de questão antes da resolução desses problemas. Pode ser que o bebê que precisa de atenção e carinho seja o ego do analisando, em vez do *Self* nascituro. O analisando que está nessa situação pode tentar colocar-se à altura das expectativas do analista produzindo algo que, apesar de parecer gestação psíquica e novo nascimento, na verdade é falso, pois será fruto de mera representação e adaptação. Um *puer aeternus* é capaz de criar uma falsa experiência de renascimento atrás da outra, mas nenhuma delas levará sua psique a lugar algum. Numa contratransferência maiêutica, o analista pode inconscientemente contribuir para essa resistência à análise.

A análise do processo de contratransferência/transferência maiêutica não é menos tediosa nem repulsiva para o analista que a de qualquer outro que discuti. Examinar o próprio envolvimento ilusório e projetivo não é tarefa invejável e se torna particularmente difícil quando a contratransferência jaz principalmente na sombra da postura terapêutica consciente do analista. O analista pode afirmar conscientemente que seu trabalho parte de uma atitude objetiva e neutra, por exemplo, e, no entanto, estar inconscientemente partindo de uma contratransferência maiêutica. Essa atitude inconsciente pressionará o analisando a agir conforme manda o figurino: se o analista for maiêutico, o analisando deve ser – ou tornar-se o mais rápido possível – gestante. Essa mensagem inconsciente é transmitida de diversas formas, entre as quais a interpretação de sonhos, associações e imagens. Se o analista está decidido a fazer um parto, o melhor que o analisando tem a fazer é produzir um feto.

A análise desse processo de contratransferência/transferência não é menos importante que a dos demais tipos. De fato, essa fase da análise talvez seja o único meio de libertar as terapias que entraram em impasse para ensejar uma análise mais honesta e exata. Uma vez eliminada a pressão de gerar e criar, o analisando pode permitir-se o conflito e a esterilidade, se esse for seu real quadro psicológico. O analista então será capaz de ver, aceitar e trabalhar com uma pessoa de verdade. Quando a contratransferência maiêutica é analisada e deixada para trás, o analisando fica livre para ser o que quer que seja de fato – se a gestação for uma de suas possibilidades, um verdadeiro nascimento ocorrerá a seu tempo.

Entretanto, a menos que o analista seja muito sugestionável, a contratransferência maiêutica nunca é totalmente ilusória. O analista está – ao menos em parte – reagindo a algo presente no analisando, algo de que este talvez ainda não se tenha apercebido. Portanto, a constelação da contratransferência maiêutica pode representar um sinal precoce de gestação psíquica, um indício clínico da aproximação do *Self*. Quando sintônica, essa reação de contratransferência informa ao analista que os aspectos infantis e o futuro potencial da psique do analisando estão prestes a revelar-se. Estes requerem empatia no trato, outra função maiêutica. Assim, o estímulo desse tipo de reação de contratransferência pode prenunciar coisas ainda ocultas no útero do tempo, coisas silenciosamente gestadas no inconsciente.

As abordagens interacionais de Langs (1978) e Goodheart (1980) parecem-me em muitos aspectos maiêuticas. Como tais, elas também correm os riscos inerentes à posição de contratransferência maiêutica. Em vez do conteúdo manifesto, o analista atenta basicamente para as comunicações inconscientes, os significados latentes. O "processo da escuta" está em sintonia com o inconsciente – em última instância, com o *Self*. O analista reúne esses significados e mensagens inconscientes e os traz à consciência por meio de comentários interpretativos. O "campo simbolizante seguro" de Goodheart, que implica a segurança do "trato" empático por parte do analista, é o que tenho em mente quando me refiro ao processo de contratransferência/transferência.

Pós-escrito teórico

Parece-me que a obscuridade no exame da contratransferência – independente de o termo indicar todas as reações do analista ao analisando ou apenas as mais inconscientes e determinadas por complexos – poderia resolver-se em parte pela distinção entre *atitudes, fases* e *reações* de contratransferência. Com atitude de contratransferência, quero dizer um conjunto palpável e persistente de imagens, valores e padrões de raciocínio conscientes e inconscientes, uma estrutura psicológica que atravessa longos períodos de tempo e está presente antes de determinada análise, durante ela e depois dela. As reações de contratransferência, por sua vez, são fugazes e temporárias, baseiam-se principalmente em complexos inconscientes e não estão sujeitas ao controle do ego, que interfere na atitude de contratransferência. As fases de contratransferência são mais duradouras que as reações, mas estão contidas na estrutura geral da atitude de contratransferência, durando geralmente uma fase da própria análise.

Cada uma delas compõe-se de elementos derivados da história psicológica do analista. A atitude de contratransferência tem suas raízes na infância, pois o analista se interessará pelos outros conforme o interesse de que originalmente foi alvo. A tipologia psicológica do analista também é parte dessa atitude. A atitude de contratransferência baseia-se, ademais, num fulcro arquetípico, cuja natureza (mãe, pai, herói etc.) depende dos complexos particulares nos quais a atitude se fundamenta. Além das figuras parentais e arquetípicas, as introjeções de eventuais analistas pessoais e supervisores de análise assumem importância crítica na configuração da atitude de contratransferência: você trata alguém analiticamente da mesma forma que foi tratado. (Quando há choque entre as figuras interiores parentais e as figuras analíticas posteriores, surge uma ruptura fundamental na atitude de contratransferência, criando um eixo de hesitação que costuma perturbar o analista e se deixa observar e denunciar pelos analisandos mais sensíveis a nuanças de relacionamento.) O mesmo se pode dizer acerca dos elementos que compõem as fases e reações de contratransferência: eles também se baseiam na história do analista, só que não constituem o estado habitual da consciência (profissional).

Os elementos específicos que entram na composição da atitude de contratransferência constituem as características especiais do estilo de trabalho e de relação com os analisandos de um determinado analista. Com o treinamento e a experiência, essa atitude é ajustada, aguçada, tornada mais consciente, mas provavelmente não será fundamentalmente alterada. A atitude de contratransferência é uma presença mais ou menos constante ao longo da análise, um fator relativamente estável em meio a todas as análises conduzidas por um determinado analista. Essa é, por assim dizer, a "face" do analista.

A reação de contratransferência, por outro lado, é mais limitada, durante alguns minutos de uma sessão ou algumas sessões, ou restrita à análise de determinados tipos de pessoas. A reação é distinta da atitude de contratransferência, a qual ela perturba. É como uma careta na face analítica. Seja sintônica ou ilusória, ela é reativa à transferência e geralmente deriva de uma área razoavelmente limitada do inconsciente do analista, podendo em geral ser dissolvida pela análise.

Ao contrário da reação, a fase de contratransferência permanece dentro das estruturas da mais duradoura e dominante atitude de contratransferência e não interfere com ela. Numa determinada análise, muitas vezes há períodos em que a atitude do analista muda sutilmente e, sem perturbar-se ou romper-se, é incrementada por uma nova atitude. Uma fase pode perseverar por algumas sessões ou até meses, mas não se poderia afirmar que o analista mudou sua atitude essencial de contratransferência: apenas alguns elementos desta se dilataram, rearrumaram ou deslocaram. Como a reação, mais fugaz, a fase é um produto reativo do analista à transferência do analisando.

Todos os três tipos de contratransferência aqui examinados poderiam, em determinado exemplo, ser uma atitude, uma reação ou uma fase. Todos eles podem constituir a subestrutura relativamente estável sobre a qual repousa toda a prática analítica; todos podem parecer reações temporárias de contratransferência que afetem a atitude usual do analista; todos podem representar fases dentro do contexto de outro tipo de atitude de contratransferência. Tomando por base a introvisão de Jung (1961, p. 133) acerca das reações de contratransferência, eles são em geral produtos de compensação inconsciente, surgindo basicamente para modificar a atitude unilateral ou distorcida de um analista em relação a um determinado analisando.

As dinâmicas psicológicas que atuam sobre o analista nos processos de transferência/contratransferência são distintas nos casos de atitudes, reações e fases de contratransferência. Para uma análise frutífera, o analista deve saber qual é a sua atitude de contratransferência e qual a distância reativa, possivelmente compensatória, a tomar diante dela. O principal objetivo da supervisão de controle, a meu ver, é analisar as características da atitude de contratransferência e criar maior familiaridade com os tipos mais frequentemente constelados de reação e fase de contratransferência. Tais introvisões serão de grande valia na análise dos processos de contratransferência/transferência no curso do trabalho terapêutico subsequente do analista.

Referências

DIECKMANN, H. 1976. "Transference and countertransference: Results of a Berlin research group". *Journal of Analytical Psychology* 21/1:25-36.

FORDHAM, M. 1978. *Jungian psychotherapy*. Nova York: Wiley.

GOODHEART, W. 1980. "Theory of analytic interaction". *The San Francisco Jung Institute Library Journal* 1/4:2-39.

GUGGENBÜHL-Craig, A. 1971. *Power in the Helping Professions*. Nova York: Spring Publications.

JUNG, C. G. 1912. *New Paths in Psychology*. In: *Collected Works*, 7:245-268. Princeton: Princeton University Press, 1966.

JUNG, C. G. 1921. *Psychological Types*. In: *Collected Works*, vol. 6. Princeton: Princeton University Press, 1971.

JUNG, C. G. 1931. *Problems of Modern Psychotherapy*. In: *Collected Works*, 16:53-75. Princeton: Princeton University Press, 1966.

JUNG, C. G. 1946. *The Psychology of the Transference*. In: *Collected Works*, 16:163-323. Princeton: Princeton University Press, 1966.

JUNG, C. G. 1961. *Memories, Dreams, Reflections*. Nova York: Random House.

LANGS, R. 1978. *The Listening Process*. Nova York: Jason Aronson.

MACHTIGER, H. G. 1982. *Countertransference/Transference*. In: *Jungian Analysis*, M. Stein, org., pp. 86-110. La Salle, Ill., e Londres: Open Court.

McGUIRE, W. e HULL, R. F. C., orgs. 1977. *C. G. Jung Speaking*. Princeton: Princeton University Press. [*C. G. Jung: Entrevistas e Encontros*. São Paulo: Cultrix, 1982.] (fora de catálogo)

RACKER, H. 1968. *Transference and Countertransference*. Nova York: International University Press.

SEARLES, H. F. 1979. *The Patient as Therapist to His Analyst*. In: *Countertransference and Related Subjects*, pp. 380-459. Nova York: International Universities Press.

Êxito e Fracasso de Intervenções na Análise Junguiana: a Construção/Desconstrução do Círculo Fascinante

William B. Goodheart*

A sequência clínica

Um terapeuta do sexo masculino que acaba de proibir o fumo no consultório – inclusive, guardou os cinzeiros na gaveta – está atendendo um novo paciente. Este é um cinquentão agressivo e enérgico que, ao sentar-se, parecia ansioso, sem saber o que fazer. O terapeuta sugeriu que ele começasse por onde quisesse e com o que quer que lhe viesse à mente, que as coisas funcionavam melhor assim. Em alguns minutos, o paciente descreveu de modo geral, em termos concretos e escassos, a

---

* **William B. Goodheart, Jr.**, médico, é membro da San Francisco Society of Jungian Analysts. Diplomado pela Stanford University School of Medicine e pelo C. G. Jung Institute de San Francisco, é professor assistente de psiquiatria clínica da University of California School of Medicine em San Francisco. Presidente da Society for Psychoanalytic Psychotherapy, Seção Bay Area, é editor do *International Journal of Psychoanalytic Therapy* e do *The Yearbook for the Society for Psychoanalytic Psychotherapy*. © 1984 Chiron Publications

ansiedade e insegurança que sentira ao longo do ano anterior, a úlcera que desenvolvera e o breve período de hospitalização a que se submetera recentemente, manifestando com tudo isso ansiedade generalizada e sintomas depressivos e psicossomáticos moderados.

O paciente pediu então ao terapeuta que o informasse acerca do que achava ser o problema e do que deveria fazer. O terapeuta sentiu-se um tanto pressionado por essa solicitação tão prematura na relação entre eles. Ficou ansioso e pediu ao paciente que continuasse a dizer tudo o que lhe vinha à cabeça.

Então, o paciente disse que estava perplexo com todos aqueles sintomas, já que tudo em sua vida estava indo razoavelmente bem. Ia bem nos negócios, dava-se bem com a mulher, tinha um filho na faculdade e outro que já estava trabalhando. Não conseguia entender por que se sentia daquela maneira.

Seguiu-se outro silêncio pesado. A ansiedade crescia até que se transformou em tensão. De repente, o paciente perguntou se poderia fumar. O terapeuta respondeu: "Ah, você quer fumar?", e imediatamente, quase de forma automática, tirou um cinzeiro da gaveta e entregou-o ao paciente.

O paciente acendeu um cigarro, deu uma tragada, soltou um suspiro de alívio e começou a falar com um pouco mais de fluência. Disse que viajava frequentemente, mas que não tinha confiança para deixar a empresa na mão dos sócios, pois achava que eles não tinham segurança para tomar decisões e às vezes mostravam-se ansiosos nos momentos críticos. Não se sentia seguro com relação a eles. Não gostava de ficar doente... Não sabia o que estava acontecendo. Os médicos queriam dar-lhe Valium, mas ele não queria ir por aí. O fato é que talvez houvesse algum remédio que ele pudesse tomar... Tinha de dar um jeito naquilo o mais rápido possível, já que a coisa estava interferindo em seu trabalho. Na realidade, queria ver as coisas esclarecidas, pelo menos até certo ponto, até o início da semana seguinte, pois seria uma semana importante. O que o terapeuta achava que estava acontecendo? Será que poderia ajudá-lo ou sugerir algo?

Dois sistemas psíquicos em interação

Para a abordagem dessa sequência terapêutica específica, na tentativa de compreender o que estava ocorrendo entre o terapeuta e seu paciente, tomei como base a máxima muitas vezes repetida de que a terapia é uma interação dialética recíproca na qual dois sistemas psíquicos entram naquilo que poderia ser visto como urna combinação química ou alquímica (ver, por exemplo, 1966a, §§ 1, 8, 10, 163, 353, 354). Minha interpretação é a seguinte: numa sessão nada ocorre entre paciente e terapeuta que não seja um produto interacional. Outra forma de dizer é que o comportamento e os comunicados do paciente ao longo da terapia são um produto ou amálgama conjunto – eles provêm tanto da vida intrapsíquica do paciente quanto da reação de adaptação às intervenções do terapeuta. Por conseguinte, o caminho para a compreensão da vida intrapsíquica do paciente começa com a compreensão da sequência e do fluxo dos estímulos e determinantes interpessoais específicos do terapeuta, a partir dos quais a vida intrapsíquica do paciente forma percepções e imagos, reagindo e adaptando-se. Desde o início, Jung frisou que os complexos são ativados por estímulos, tais como as palavras deflagradoras nas experiências de associação de palavras. Assim, os atos do terapeuta, não só os conscientes como os inconscientes, são um estímulo para as constelações específicas de complexos no paciente e um ingrediente crucial para o produto conjunto – a reação química – que compõe cada momento da terapia. O curso da terapia é então o conjunto de tais momentos e, assim, uma produção bipessoal e mútua de ação e reação, de estímulo e resposta, entre paciente e terapeuta.

Baseado na metáfora de Jung, tenho tanto interesse no que o terapeuta diz e faz quanto no que o paciente dirá e fará em cada hora de terapia ou supervisão de terapia. Na sequência clínica acima descrita, o terapeuta concordou em atender o paciente e fornecer-lhe o espaço e a oportunidade únicos de iniciar o processo de terapia e autoexame colocando seus sentimentos e experiências incipientes sob a forma de alguma espécie significativa de imagem e linguagem. A reação do paciente foi mencionar esquematicamente seus sintomas e ficar ansioso, pedindo explicações concretas e aconselhamento do terapeuta. Ele havia sido recomendado pelo médico que o atendera no hospital. Provavelmente, tivera algum alívio transitório para suas ansiedades neuróticas na presença desse médico; pedira e obtivera alguma explicação, opinião ou diagnóstico simplificador que o tranquilizara momentaneamente, mas que, obviamente, não tivera efeito duradouro. Assim, talvez ele quisesse ou esperasse um contato semelhante com o terapeuta, isto é, baseado naquela forma de comunicação somática e intelectualizada. O terapeuta se juntaria a ele nessa manobra para isolar seu inconsciente e obter alívio transitório? Este é, em vários aspectos, um momento crítico para nós, terapeutas, no processo de interação com o paciente: quando ele insiste em obter de nós reações redutivas e não simbólicas. Como devemos reagir em tal situação?

A união por meio da *imaginatio* e por meio da "união aberrante natural"

Por acreditar, com Jung, que os símbolos podem curar por si sós – isto é, que a transformação da *materia* (sentimentos, impulsos, ansiedades, a dimensão instintiva do espectro arquetípico) em substância espiritual ou plena de significado é o supremo veículo da transformação psíquica e da individuação –, forneço o mínimo de comunicação concreta ou não simbólica aos pacientes. Acredito que fazê-lo não é trabalhar simbólica ou alquimicamente, mas, sim, redutivamente. Nesse caso, por exemplo, tanto o paciente quanto o terapeuta já estão encontrando nesse momento o inconsciente indiferenciado, a sombra, na forma de ansiedade incipiente e pura. Ela está quase tomando o paciente e começando a infiltrar-se no terapeuta, é o "material" de seu campo interacional. Como é de esperar, esse é o começo do processo alquímico. Jung o chama de "o primeiro encontro de alguém consigo mesmo" e o compara à "passagem pelo vale da sombra" (1966a, § 399). Ele constitui a "*prima materia* [matéria primordial]. [...] Uma *situação psíquica inicial*, como por exemplo [...] o caos, a massa confusa [...]" (1959, § 240). Segundo Jung, em tais momentos "o grau máximo de consciência confronta o ego com sua sombra, e a vida psíquica individual com a psique coletiva. Esses termos psicológicos [...] denotam um conflito quase insuportável, uma situação psíquica cujos horrores só conhece quem por ela já passou" (1970b, § 313). Esse é um dos momentos iniciais da "melancolia de *nigredo*, 'negrume mais negro que o negro', [...]aflição da alma, confusão" (1970b, § 741). A meu ver, os vários estágios da alquimia são expressos nesses momentos de ansiedade do processo de psicoterapia, em que se envolve intensamente cada um dos participantes.

Entretanto, o risco de o paciente "infectar" o terapeuta é muito grande em tais momentos de ansiedade e pressão. O ego do terapeuta também corre o risco de tornar-se "um leito de ansiedade" (1970a, § 360), com uma correspondente perda do grau máximo essencial de consciência. Nesse momento, o terapeuta precisa tomar uma decisão fundamental, que recai na "decisão consciente de não se tornar sua [da sombra] vítima" (1966a, § 420). Nesse instante, para fazer frente à ansiedade e aos impulsos inconscientes, é preciso que o terapeuta aja com consciência, firmeza e deliberação, na tentativa de buscar a integração de consciente e inconsciente por meio das imagens do paciente.

Essa linguagem rica, alquímica e quase poética realmente oferece ao terapeuta uma orientação confiável no sentido de ajudar o paciente nesses momentos iniciais. Ela diz simplesmente: "Não se deixe levar pela ansiedade nem pela pressão que está sendo exercida sobre você por parte das forças da sombra desse paciente e da sua, que clamam por algo que não a experiência analítica. Ensine a esse paciente a arte de permanecer consciente e resistir a suas próprias forças inconscientes, em vez de deixar-se invadir por elas. Resista às pressões interpessoais do inconsciente do paciente para adotar uma postura que não a do terapeuta alquímico, o guardião dos símbolos".

O que se afirma aqui é que a ansiedade representa o fato de que os opostos da sombra inconsciente do paciente e da consciência do ego do terapeuta foram constelados. Jung afirma reiteradas vezes que, quando os opostos se constelam, grandes forças naturais infantis e regressivas emergem de uma parte do inconsciente em busca da reunião urgente desses opostos a fim de aliviar a aflição. Segundo ele, essas são as forças do "incesto físico". Jung acrescenta que "o problema psicopatológico do incesto é a *forma aberrante, natural, da união de opostos*" (grifo meu) (1970*b*, § 108). Esse paciente está sendo inconscientemente impelido a selar a constelação de opostos que a atitude atenta do analista lhe exige. Ele o faria dentro de si, intrapsiquicamente, e ao mesmo tempo fora, na interação terapêutica. Assim, a pressão sentida pelo terapeuta é exatamente a pressão pela união aberrante, pela obliteração da consciência, que é a força repressora dentro do paciente. O espaço da terapia torna-se a arena interacional de um mundo ou drama interior do paciente que, de outra forma, permaneceria oculto. O paciente obliteraria a atitude e a consciência analítica do terapeuta enquanto oblitera a atitude analítica potencial em relação a seus próprios processos inconscientes. Ele quer que o terapeuta seja conivente na formação de uma união assim aberrante e obliterante, em vez de juntar-se a este na conjunta jornada pelo "conflito quase insuportável" e pela "aflição da alma" que o tratamento desses opostos e a exploração das ansiedades que os encerram trariam. Em vez disso, ele prefere a concretude das simplificações, dos conselhos, das fórmulas intelectuais, das afirmações de pseudocompreensão e pseudossignificado. O consentimento do terapeuta permitiria que ambos se fundissem, em determinado nível, em mútuo encerramento e, num nível mais profundo, em casamento indiferenciado e inconsciente nas trevas. Jung classificava esse tipo de união que renuncia ao ego como "um estado indiferenciado e inconsciente do ser primordial, [...] uma condição [que] deve ser terminada e, já que é ao mesmo tempo um objeto de desejo regressivo, deve ser sacrificada a fim de que surjam entidades discriminadas, isto é, conteúdos conscientes" (1956, § 650). "Renuncia-se ao desejo instintivo para que ele possa ser readquirido sob nova forma" (1956, § 671). Há "a necessidade de consciência discernente, avaliadora, seletiva e discriminadora" (1956, § 673). Jung também coloca isso em termos da "proibição do incesto" que "intervém [...] no propósito de canalizar de novas formas a libido e impedi-la de regredir ao incesto real" (1956, § 332). Essa proibição "atua como um obstáculo e torna inventiva a fantasia criativa [...]. [Ela serve] para estimular a imaginação criadora, que gradualmente abre possíveis caminhos para a autorrealização da libido. Dessa forma, a libido se torna imperceptivelmente espiritualizada" (1956, § 332).

Outra abordagem usada por Jung para lidar com esse problema clínico é discutir limites. Ele frisa que a sombra e os conteúdos inconscientes que a acompanham em sua saída do reino do arquetípico têm uma característica comum: eles "expressam o mundo dos instintos que passa inexoravelmente e com toda a crueldade e desconsideração por cima dos desejos e preocupações humanos morais" (1959, § 370). A sombra desse paciente não teria a menor consideração pelas tentativas de tornar "inventiva a fantasia criativa" desse terapeuta. Movida pela ansiedade, essa sombra nada teria que ver com a empresa humana de dar vida à alma. Ela não se deixaria conter em "um *temenos* protegido, um espaço tabu, no qual poderá vivenciar o inconsciente" (1968, § 63). Em todos os seus escritos, Jung insiste em que o estabelecimento de um espaço protegido e demarcado por fronteiras é um requisito crucial para o uso produtivo da *imaginatio*. E "a *imaginatio* (imaginação) é uma evocação ativa de imagens (interiores), [...] uma verdadeira função do pensamento ou do poder de representação, que não tece fantasias aleatórias, sem meta ou fundamento; [...] mas procura captar a realidade interior por meio de representações fiéis à natureza. Esta atividade é designada como sendo um *opus* (obra)" (1968, § 219).

A *imaginatio* ocorre apenas dentro de um espaço especial e sagrado que contém a *"massa confusa"*, *materia de opus*, e é protegida da intrusão dos clichês concretos, literais, simplificados e intelectualizados e de muitas outras formas de uniões aberrantes e manifestações do incesto. Cada uma delas obliteraria a rica complexidade e a multifacetada potencialidade residente nas forças inconscientes, trazendo imenso alívio à tensão de opostos. Esse espaço protegido precisa ser cuidado e promovido pela consciência atenta, dedicada e deliberada do terapeuta, ciente de seus ricos dons e sua enorme fragilidade. Conforme a direção e as implicações de suas intervenções, o terapeuta está conscientemente envolvido *"na promoção de um círculo protetor"* (grifo meu) (1968, § 63). Só nele é que a *imaginatio* pode ocorrer com segurança.

Na entrevista em pauta, o consciente do terapeuta está sendo desafiado a realizar mais uma vez esse antigo ato para o paciente, um ato que define a essência do ser humano e garante que haverá uma tradução do insipiente para o humano, o simbólico. Essa é essencialmente a atitude analítica. Trata-se de um ato que estabelece um limite que diz: "Não reagirei da forma que você exige. Existe outra maneira de estarmos aqui juntos, outra maneira de nos comunicarmos, outra maneira pela qual posso relacionar-me com as forças incipientes que crescem dentro de você. Eu incentivo, escuto, preparo o caminho para a *imaginatio* e só a ela reajo – *imaginatio*, a grande reveladora, a fonte de fascínio que o leva à vasta complexidade de sua própria realidade. Eu *não* sou conselheiro, nem consultor, professor, juiz, amigo nem amante! Sou diferente de todos eles; em vez disso, sou o i-natural, o antinatural. Sou quem promove o fascinante círculo sagrado no qual emergirá a *imaginatio*. Apenas com ela você poderá descobrir quem é. Essa é minha tarefa, essa é a única união que posso oferecer-lhe. A ela chamo de 'counião', *coniunctio*, união sem fusões inconscientes nem uniões aberrantes".

A declaração do terapeuta, a percepção do paciente e sua reação

Voltando ao momento crítico em que irrompeu a ansiedade e a pressão interpessoal em nosso exemplo, lembramos que na entrevista o paciente havia cessado prematuramente a exploração e a criação de imagens, havia ficado ansioso e desejado algo concreto do terapeuta. Em tais momentos, o paciente empaca diante da porta que conduz à experiência simbólica da terapia e até pede ao terapeuta que a feche e lacre. Nesse exemplo, o terapeuta convidou o paciente a continuar, oferecendo-lhe a atitude alquímica ou analítica ao dizer implicitamente: "Continuemos com a *imaginatio*, esse processo árduo e sofrido de permanecer com a *massa confusa* e alçar o incipiente ao significativo, de encontrar imagens e palavras, de criar um casamento comunicativo para essa *prima materia* que começa a emergir aqui entre nós agora sob a forma de ansiedade".

Conforme o modelo interacional de Jung, está claro que algum estímulo suscitou no paciente esse complexo cercado de ansiedade. Podemos nos perguntar qual poderia ter sido; que ato do terapeuta teria servido a tal função? O terapeuta permaneceu fiel à sua tarefa de estar ali como a consciência aberta, responsiva e atenta, voltada para a promoção e a disponibilização do círculo fascinante à vida imaginária do paciente. Esse foi o único estímulo ou ato claro da parte do terapeuta. Ao convidar o paciente a continuar, o terapeuta assumiu uma posição bem definida, contribuindo com um ingrediente vital para a química interacional e tornando-se um estímulo para as reações subsequentes do paciente. Seu ato e as implicações subjacentes foram registrados pela psique do paciente.

A reação do paciente transmite não apenas a impressão provocada por esse comunicado do terapeuta, mas também uma percepção inconsciente de seu significado completo. O próprio Jung via nas imagos do paciente uma mistura de realidades percebidas com precisão de pessoas importantes para ele – como os pais – e de fantasia. Quando aplicada à terapia, diríamos que o paciente vivencia o terapeuta – ou imagens deste – numa imago interna que consiste da percepção fundada na realidade à qual se acrescenta a fantasia. Portanto, quando o terapeuta finaliza um comunicado ou um comportamento, precisa esquadrinhar conscientemente as imagens subsequentes para identificar esse acréscimo. Jung frisou que as características de cada pessoa retratada nas imagens das associações, reminiscências, fantasias e sonhos de um paciente podem remeter subjetivamente ao próprio paciente. Mas é igualmente claro que cada uma delas pode remeter também ao terapeuta. Vejamos as palavras de Jung:

> [...] a interpretação em que as expressões oníricas podem ser identificadas com objetos reais é por mim denominada *interpretação no nível do objeto*. A essa interpretação contrapõe-se a que refere ao próprio sonhador cada um dos componentes do sonho; por exemplo, todas as pessoas que nele aparecem. A esse procedimento dei o nome de *interpretação no nível do sujeito*. [...] [Ela] *desliga* das circunstâncias exteriores os complexos de reminiscências em que se baseia e os interpreta como *tendências ou partes* [grifo meu] do sujeito, incorporando-os novamente ao sujeito [...]. Neste caso, todos os conteúdos dos sonhos são concebidos como símbolos de conteúdos subjetivos. (1966*b*, § 130).

Aos "complexos de reminiscências", ou percepção consciente do passado, eu acrescentaria a existência da *percepção inconsciente do presente* e os complexos a ela filiados. Jung parece estar querendo dizer que existem processos inconscientes que atribuem, ou associam, "tendências ou partes" de uma pessoa a outra e situa essa atribuição na narrativa, na fantasia e no sonho. Ele está sugerindo que o terapeuta deve separar conscientemente essas tendências e partes e reatribuí-las ao sujeito adequado, isto é, o paciente. Estou tentando argumentar o mesmo, só que em termos de um processo no qual as tendências e partes podem ser separadas e consideradas como tendências e partes do campo interacional, que contém contribuições significativas tanto do terapeuta quanto do paciente. Por conseguinte, as tendências ou partes representadas que forem destacadas podem remeter ao terapeuta, ao paciente ou a terceiros. Obviamente, o material que provém do terapeuta – ou suas "tendências e partes" – é de extrema importância. Antes de associá-las ao paciente, este deve associar conscientemente imagens de sonhos, fantasias e narrativas a si mesmo para ver se elas não refletem percepções significativas de seu próprio comportamento, as quais, por sua vez, modelam substancialmente a interação. Vários analistas junguianos reconhecem a importância desse princípio do funcionamento psíquico e utilizam-no em sua prática (Goodheart, 1980, 1982, 1984; Groesbeck, 1983*a*, 1983*b*, 1984; Jaffe, 1982; Stevens, 1982*a*, 1982*b*).

Tendo isso em mente, escutemos a resposta do paciente – desta vez com suas próprias palavras – diante da afirmação do terapeuta:

> "Tudo na minha vida está indo bem. Minha empresa deu certo, é bem-sucedida, dou-me bem com a minha mulher, tenho um filho que está na faculdade e outro que já está empregado, trabalhando com sucesso".

Aplicando a fórmula de Jung – "desligar tendências e partes" –, temos imagens de:

empresa dando certo
bem-sucedida
dar-se bem
trabalhar com sucesso

Associando essas tendências e partes ao ato anterior do terapeuta, temos uma confirmação de que o paciente inconscientemente percebeu tal ato como *certo, bem-sucedido* e *bom*. O paciente refletiu completamente na narrativa subsequente e suas imagens o modo como sentiu e assimilou o terapeuta. Não se trata apenas de uma percepção, porém, mas também de uma introjeção – interiorização de um objeto bom – e a experiência forneceu um incremento microscópico de cura ao paciente, a base inicial para a obtenção de algum domínio sobre a ansiedade. Nesse momento, o comentário do paciente é claramente um produto interacional, pois ele está em íntima counião. É um momento fugaz, mas faz-se presente e é importante. Ele é para ambos uma pequena ilha de *coniunctio* embrionária em meio ao mar de ansiedade e pressões inconscientes. É importante observar que o terapeuta teve de trabalhar-se interiormente um pouco para conseguir fazer essa oferta ao paciente – solicitar-lhe que dissesse o que lhe vinha à mente. Ele teve de distanciar-se um pouco de sua própria ansiedade e lutar para manter a postura alquímica e analítica. O paciente inconscientemente percebeu isso, e sua reação reflete essa percepção. Essa não é uma tarefa fácil para o terapeuta, e Winnicott captou muito bem sua essência quando falou do "esforço analítico".

O paciente sente a solicitude do terapeuta sem ter consciência disso. O que é inconsciente é fortemente dissociado da psique consciente. Então, nesse momento, do ponto de vista consciente, o paciente poderia muito bem estar vivenciando o terapeuta como frustrante – e até mesmo mau – por expô-lo à privação e recusar-lhe as explicações e orientações que pedia. De fato, poderíamos dizer que são justamente esses momentos críticos os mais plenos de possibilidades de mudança alquímica porque a dissociação está sendo representada e o material oposto ao estado consciente, transmitido de modo muito claro nas imagens das associações do paciente. Está mais perto da superfície.

O terapeuta admitiu posteriormente que havia lutado para pôr de lado a tentação de agir como o conselheiro sábio e dizer: "Bem, você está na meia-idade, teve um problema de saúde grave o bastante para exigir internação e tudo isso foi um choque que talvez o tenha forçado a reavaliar sua vida. Você perdeu as antigas bases, talvez tenha sentido de perto o terror da morte e da impotência e tem medo de ter perdido o controle sobre as coisas". Dada a situação interacional da terapia, essa explicação semissofisticada, comparada à complexidade da realidade de fato existente entre paciente e terapeuta, é simplesmente um clichê. É esse tipo de explicação que Jung parecia desprezar quando falou em atentar para a individualidade do paciente e para a riqueza e a complexidade únicas dos símbolos e em não reduzir o paciente a formulações simplistas preconcebidas. Na verdade, usar essa explicação teria sido literalmente destruir a singularidade daquele homem, pois ela poderia aplicar-se a qualquer homem de meia-idade que tivesse sido internado e depois desenvolvesse sintomas neuróticos. Ela é o tipo de explicação que nos damos como conselheiros, consultores, amigos e amantes. Não traz em si nenhuma *imaginatio*. Abandona a tarefa analítica. É quase insignificante. Poderia deixar atrás de si a sedutora, porém falsa, implicação de que algo significativo havia sido dito. Nada faz para tornar consciente o inconsciente. O que diz acerca da vida inconsciente do indivíduo? Nada. Deixa de lado totalmente a psique, ignorando o transformador processo interacional em curso entre o terapeuta e o paciente. Deixa de lado a terapia ao abandonar a psique. Contudo, essa explicação poderia ter trazido alívio consciente ao paciente. Naturalmente, esse alívio seria breve e teria sinalizado ao inconsciente do paciente que aquele terapeuta estava pronto a abandonar as almas de ambos em favor das manobras isoladoras de generalização e intelectualização sempre que as coisas se complicassem.

Existem os que acreditam que o terapeuta precisa fortalecer o ego do paciente antes para que este possa lidar com o inconsciente. Tanto os junguianos como os freudianos distorceram o significado do fortalecimento do ego sugerindo que, para sua ocorrência, é preciso que o terapeuta dê ao paciente conforto e apoio, empreste-lhe seu ego ou *Self*, torne-se para ele um amigo extremamente atencioso ou faça imediatamente tudo o que for possível para aliviar-lhe a tensão psíquica. Essa atitude tem levado alguns terapeutas a fazer intelectualizações genéricas – como inferências sobre os processos intrapsíquicos psicológicos, dinâmicos e arquetípicos – ou a dar conselhos, partilhar experiências pessoais e objetos, a tocar e abraçar e, em alguns casos, até a fazer amor com o paciente.

Os defensores dessas tais medidas de fortalecimento do ego alegam que, assim, estão impedindo que o ego, sobrepujado pela ansiedade, se fragmente com a experiência da perda objetal por meio da sensação de apoio ou coesão pela verdadeira experiência de uma ligação, carinho ou afeição especial, livre do distanciamento e do menor traço de separação – coisa que o paciente não estaria pronto a tolerar e viveria como abandono ou isolamento. Eles sugerem que o terapeuta deve de vez em quando dar ao paciente algo que não a atitude atenta, alquímica, analítica e voltada para o simbólico. Para isso, devem abandonar a atitude analítica e sua inquebrantável oferta de *imaginatio* e adotar a atitude do conselheiro, consultor, mestre, velho sábio, amigo ou amante.

Contudo, eu sustento que é *não* abandonando a atitude analítica que o terapeuta pode ajudar a fortalecer o ego do paciente e sua vivência de si mesmo, o que contribui para sua capacidade de investir-se numa atitude simbólica e reflexiva em relação às experiências inconscientes, a despeito das pressões contrárias que possa haver. As atitudes e intervenções não simbólicas por parte dos terapeutas costumam ignorar tanto o que está ocorrendo no campo dialeticamente interacional que servem basicamente como convites à negação ou repressão dessas realidades na relação com o consciente. Essas negações e repressões enfraquecem o ego do paciente e dissociam dimensões significativas do *Self*.

Creio que seria mais compatível com a visão de Jung se, como terapeutas, nós fortalecêssemos o ego do paciente ou aumentássemos sua capacidade de manter um campo de consciência em relação às forças do inconsciente, atendo-nos à atitude simbólico-analítica que, por si só, é capaz de tornar consciente o inconsciente, de transmutar em consciência os produtos de imagens e afetos primitivos e indiferenciados inconscientes do *Self* total. E cada incremento conseguido nesse sentido contribui para dar força ao ego do paciente e consolidá-la. Mantendo a atitude simbólica e comunicando-nos simbolicamente, a despeito das pressões interacionais em contrário, fornecemos um bom modelo de funcionamento do ego e força para a individuação, que o paciente introjetará e sentirá inconscientemente. Damos ao paciente um sinal de que sabemos que ele possui um *Self* oculto dentro de si que se unirá a nós nessa empreitada.

A deflagração da neurose do paciente

Na sequência clínica acima descrita, depois do comentário do terapeuta foi a vez de o paciente fazer o seu. Este deixa entrever o reconhecimento inconsciente do valor e da sensatez demonstrados pelo terapeuta ao ater-se à atitude analítica e oferecê-la ao paciente. Logo após essa solicitação para que continuasse a dizer o que lhe vinha à cabeça, a ansiedade do paciente redobrou e repentinamente o fez pedir permissão para fumar. Num microcosmo, vemos seu problema: ele não consegue tolerar a oferta – e o envolvimento – numa relação não perturbada, numa *coniunctio* embrionária em que cada um está dedicado à busca e à exploração simbólica mútua. A proximidade desse envolvimento e da vivência dele desperta no paciente ansiedades e inquietações.

Uma questão central na neurose é a incapacidade de tolerar uma relação sadia sem a emergência de medos fortes, primitivos e até arquetípicos e o exercício de pressão nos circunstantes para obter alívio contra esses medos, geralmente pedindo-lhes que aceitem uma união aberrante que destruirá os primeiros indícios de desenvolvimento de uma *coniunctio*. Os defensores do fortalecimento do ego pressupõem que os indivíduos neuróticos sofrem porque jamais tiveram a oportunidade de uma relação sã e que a cura da neurose está unicamente em o terapeuta tornar disponível essa relação. Porém, a situação é mais complexa que isso, pois os indivíduos que sofrem de neurose não conseguem tolerar nem deixar de interferir negativamente sobre as oportunidades de relações sãs existentes a seu redor. Os neuróticos sofrem por jamais haver tido a oportunidade de viver uma relação assim *e* pela ação de forças inconscientes que reiteradamente destroem ou evitam qualquer relação potencialmente sã que lhes surja no caminho. Portanto, o terapeuta tem três tarefas a cumprir: (a) tornar essa relação mais uma vez disponível ao paciente; (b) ser capaz de resistir às ansiedades e solicitações, convites e pressões relacionados que começarão a emergir do paciente à medida que este tentar persuadi-lo de várias maneiras a alterar e evitar a potencialidade da counião analítica em favor da união aberrante; (c) interpretar com compreensão empática as ansiedades e o pavor que o paciente tem da counião, além de seus esforços destrutivos e insanos no sentido de evitá-la.

Sob essa luz, a forte ansiedade do paciente e seu pedido de permissão para fumar parecem uma reação à tentativa do terapeuta de oferecer-lhe uma *coniunctio* sã e uma relação voltada para a individuação. Sua ansiedade não provém nem de privação nem de perda de relação objetal.

A criação de uma interpretação: o casamento de *imaginatio* e interação

O terapeuta está numa posição difícil. Ele tem pouca informação para continuar. Ele vê que o paciente está muito aflito e busca um pouco de alívio direto, não simbólico, fora do círculo fascinante. O que este mais deseja é uma experiência não analítica, não simbólica. Essa é uma situação difícil clássica que resume um dos maiores dilemas da prática da terapia alquímica: como dar ao paciente a experiência da atitude analítica e o significado que ela supõe e abraçar a dissociação interior do paciente por meio de imagens do inconsciente quando há muito poucas imagens ou símbolos presentes e muita pressão do paciente no sentido de obter do terapeuta outro tipo de atitude e comunicação. Dada a sua clareza, o caso em questão nos permite a grande oportunidade de estudar a base sobre a qual poderíamos dar significado ao paciente e sanar sua dissociação interior, obedecendo ao princípio em que Jung insistia – de que a terapia é uma combinação de dois sistemas psíquicos que requer o estabelecimento do círculo fascinante.

Se fosse eu o terapeuta, a essa altura talvez eu fizesse uma intervenção no sentido de apresentar esquematicamente tudo o que havia ocorrido:

1. Eu me comportei assim ou assado.
2. Isso o influenciou, você o percebeu e interiorizou, isto é, fez uma introjeção.
3. Partindo da *imaginatio*, em resposta a meu comportamento, você propôs imagens – ou tendências e componentes – que são associáveis às pessoas descritas, a você e, o mais importante, a mim.
4. Numa reação a meu comportamento, você está se conscientizando de sintomas ou de perturbação psíquica em torno da experiência que você tem dele. Você tem percepções inconscientes dele e de seus significados, bem como de constelações de fantasias perturbadas e criativas, que são válidas. Porém, ainda não sabemos nada a respeito das últimas.

Depois de analisar a situação até esse ponto, eu então daria ao paciente uma explicação como esta:

"Você sabe, estamos juntos há poucos minutos e algo a respeito de mim e do nosso encontro o está tornando ansioso. Devido a essa ansiedade, ficou difícil para você continuar. Você quer sugestões e orientação. Isso poderia aliviar a sua incerteza, mas eu o incentivei a prosseguir e dizer o que lhe viesse à cabeça. Então você me apresentou imagens de bom trabalho, sucesso e sensatez, que bem poderiam ser uma reação a minha solicitação para que você continuasse. Parte de você compreende e aprecia meu pedido, mas outra parte sempre fica ansiosa mesmo que as coisas corram bem. Portanto, aqui também você ficou perplexo quando percebeu que sua ansiedade irrompeu justamente após essa compreensão; ela chegou a ser dolorosa para você e o fez buscar algum alívio: foi aí que você pensou em fumar. Então, me pediu permissão para isso, da mesma forma que me pediu que respondesse a suas perguntas, que o orientasse e aconselhasse. Minhas respostas mitigaram um pouco suas ansiedades, como o cigarro. De certa forma, você queria que eu as respondesse, mas em outro nível você apreciou o fato de eu não responder diretamente e lhe pedir que continuasse. Com base nisso, parece que é melhor você continuar a dizer o que lhe vem à cabeça – em vez de fazermos as coisas diretamente para alívio imediato de sua ansiedade – e vamos ver o que acontece. Assim, vamos começar a entender a natureza e a fonte desses sentimentos de ansiedade que estão interferindo tanto em sua vida".

Estou tentando mostrar, por meio de uma interpretação realista, como o terapeuta e o paciente contribuíram mútua e reciprocamente para o processo, além de como o paciente percebeu inconscientemente a interação deles usando sua própria linguagem e imagens. Procurei mostrar como os sintomas do paciente foram deflagrados pela interação e estavam ligados ao comportamento específico do terapeuta.

O terapeuta então começa a descrever cuidadosa e detalhadamente o processo interacional – o produto e realidade construídos e compartilhados por ambos naquele instante. Como sente haver sido justo até aqui, o terapeuta cautelosamente começa então a fazer inferências acerca da vida intrapsíquica do paciente e de onde esta poderia revelar-se em suas imagens, narrativas, sonhos e fantasias. Ele não tenta fazer inferências ou afirmações sobre a vida intrapsíquica do paciente sem esse material, já que elas podem facilmente servir de desculpa para intelectualizações às partes ainda desconhecidas e dissociadas da psique do paciente. Se o paciente não der ao terapeuta essa informação, este não estará pronto a agir assim. Qualquer que seja a ameaça constituída ou representada pelo terapeuta, esta deve ser primeiramente verbalizada e trazida à consciência, e isso o paciente sinalizará inconscientemente, à medida que o terapeuta lhe parecer capaz de esperar e trazê-la à consciência para ele.

A deflagração da neurose do terapeuta

Infelizmente, esse terapeuta não pôde ater-se ao círculo fascinante quando confrontado com a pressão da grande ansiedade do paciente e de seu pedido de permissão para fumar. Em estado de aflição interior, ou "infecção psíquica", ele ficou igualmente ansioso, precisou de alívio e pegou um cinzeiro e deu-o ao paciente! O terapeuta não conseguiu conter a *nigredo* inicial – o primeiro encontro dos opostos de consciente e inconsciente – e levar o sagrado círculo fascinante de investigação atenta da *imaginatio* ao inconsciente emergente do paciente, que, neste exemplo, assumia a forma de ansiedade e demandas urgentes. O terapeuta construiu com o paciente um momento de "união natural aberrante de opostos", a fusão concreta, não simbólica, desaconselhada por Jung, e abandonou o processo alquímico em suas etapas iniciais, que levariam à counião ou *coniunctio* e individuação. Isso é o que Jung queria dizer com a frase: "ser vítima da sombra".

Aqui, neste momento, o terapeuta não cumpriu as exigências da consciência superior exigida do analista-alquimista. Ele não conseguiu manter a "consciência discernente, avaliadora, seletiva e discriminadora" necessária à realização do *opus*. Vejamos mais uma vez como o paciente reagiu:

> "Os negócios vão bastante bem, mas eu não confio nos sócios. Acho que eles não têm segurança para tomar decisões; muitas vezes se mostram ansiosos, inclusive nos momentos críticos. Não confio muito neles. Não gosto de ficar doente. Não sei bem o que está acontecendo. Os médicos fizeram tudo o que podiam. Querem dar-me Valium, mas eu não acho uma boa ideia. O fato é que talvez haja algum remédio que eu possa tomar. Olha, tenho de dar um jeito nisso o mais rápido possível; a coisa já está interferindo no trabalho. Na verdade, quero isso esclarecido até o início da próxima semana. O que você acha que está acontecendo? Será que pode ajudar-me ou sugerir alguma coisa?"

Aceitemos a sugestão de Jung de desligar "das circunstâncias exteriores os complexos de reminiscências em que se baseia", interpretá-los "como tendências ou partes do sujeito" e incorporá-los "novamente ao sujeito" (1966*b*, § 129). Todavia, nesse exemplo está muito claro que o sujeito mais crucial nessa interação é a pessoa do terapeuta durante sua última intervenção, e a memória é a percepção inconsciente presente, a memória instantânea, dessa interação e comportamento. Assim, ao separarmos as tendências ou partes atribuídas aos sócios, temos:

sócios
    falta de capacidade para tornar decisões firmes
    ansiedade frequente, principalmente nos momentos críticos.

Ao isolar as tendências ou componentes atribuídos ao próprio paciente, vemos que ele:

> não sabe o que está acontecendo.

Ao destacar as tendências ou componentes dos médicos, bem como a imagem de "médicos", temos:

> médicos
> querem receitar Valium, um agente químico ansiolítico.

Com base no nível subjetivo de interpretação de Jung, mas escolhendo o terapeuta como sujeito (já que era seu o comportamento que o paciente introjetou e foi a ele que reagiu), podemos divisar aí um comentário incrivelmente contundente a respeito da importância e do significado subjacente do ato do terapeuta. Parafraseando o paciente, o que ele está *inconscientemente* dizendo ao terapeuta é:

> Não se deve confiar em você como parceiro/sócio, pois você não tem firmeza para manter sua decisão de me incentivar a dizer o que me vem à cabeça, nem como terapeuta, já que você fica ansioso em momentos críticos e parece que não sabe o que está acontecendo. Na verdade, para mitigar minhas ansiedades – e isso quer dizer as suas também –, você me dá um cinzeiro e me induz a tomar agentes químicos ansiolíticos pela boca, pelo sangue, pelo cérebro. Você é um desses médicos.

Embora *conscientemente* aliviado e talvez grato por esse ato de suposta benevolência e "união natural", o paciente *inconscientemente* está muito desgostoso com essa falha do terapeuta. *Seu sintoma evidente, a ansiedade, permanece o mesmo, mas a dinâmica subjacente mudou radicalmente!*

Não descobrimos o que realmente havia em seu mundo interior que lhe despertou a ansiedade ao entrar na relação sã inicialmente oferecida pelo terapeuta. Mas agora ele está sob os cuidados de um terapeuta em quem inconscientemente não confia *por razões legítimas, e não apenas por razões projetadas, imaginadas ou transferenciais!* A ansiedade do paciente agora é em boa medida *apropriada* e não mais sintomática. Toda a nossa tentativa de compreender a ansiedade do paciente deve dar uma guinada de 180°, pois era a dele que predominava; agora é a do terapeuta. A ansiedade do terapeuta o impeliu a menosprezar e abandonar sua tarefa e seu mandato como analista alquímico. O ato do terapeuta foi um ato neurótico, qualquer que seja a definição do termo, inclusive a de Jung:

> [...] já não podemos explicar a neurose pelo desenvolvimento de certos sistemas de fantasia. A abordagem verdadeiramente explicativa agora é prospectiva [...]. Antes perguntamos: qual é a tarefa que o paciente não quer cumprir? Que dificuldade tenta ele evitar?" (1961, § 409)

"O paciente" agora é, naturalmente, o terapeuta, que não é capaz de cumprir a tarefa da terapia, manter o círculo fascinante e preparar a arena para a *imaginatio*. No entanto, essa foi exatamente a tarefa que ele pediu ao paciente que honrasse.

A essa altura, o inconsciente do paciente não apenas percebeu a verdadeira natureza desse ato do terapeuta e comunicou sua percepção, mas também introjetou todo o ímpeto e implicação do ato, que consiste em incentivar o paciente a lidar com a ansiedade buscando alívio imediato, inclusive químico. Outra parte do inconsciente do paciente, uma parte que compensa e retifica, reconhece que isso é incompatível com o tratamento e que seria melhor o terapeuta procurar administrá-lo, do contrário a tarefa analítica e o caminho do paciente rumo à individuação fracassariam. Essa parte do inconsciente do paciente então fornece ao terapeuta afirmações corretivas e compensatórias nas associações a fim de guiá-lo a uma atitude mais útil.

Aprendemos com Jung que o inconsciente promove esforços no sentido de compensar certa parcialidade ou entrega aos complexos presente no funcionamento do ego do indivíduo. Quando o paciente introjeta tal constelação psíquica do analista, seu próprio inconsciente, por sua vez, promoverá esforços no sentido daquela constelação psíquica. Tais esforços aparecerão nas associações do paciente e podem ser vistos como *esforços inconscientes muito contundentes para condução de uma terapia em relação ao terapeuta.*

Por conseguinte, podemos destacar mais algumas mensagens "terapêuticas" destinadas ao terapeuta:

> Não quero seguir essa rota.
> Controle isso o mais rápido possível; está interferindo no meu trabalho.
> Quero isso esclarecido.

Jung sabia intuitivamente disso:

> Não é segredo que ao longo de toda análise [...] os pacientes perscrutam a alma do analista para lá encontrar a confirmação da fórmula da cura – ou o seu oposto. É praticamente impossível, mesmo com a análise mais sutil, impedir o paciente de assumir instintivamente a forma pela qual o analista lida com os problemas da vida. (1961, § 447).

O mito do observador-intérprete inocente

A abordagem da terapia que aqui estou apresentando decorre inevitavelmente, na minha opinião, de grande parte dos postulados e descobertas fundamentais de Jung. Para aplicá-los na prática real, o terapeuta precisaria atender a grandes exigências, exigências essas que não poderiam ter sido sequer concebidas e menos ainda dominadas por Freud ou Jung. Parece-me que apenas agora, após um século de sóbria observação do processo analítico, de exame de sucessos, fracassos e impasses, além do enriquecimento constante da consciência analítica, somos capazes de começar a aplicar todas as consequências e implicações da visão teórica de Jung dos dois sistemas psíquicos em interação na prática real da análise junguiana. O mais importante é que isso requer do terapeuta a rigorosa disciplina de uma consciência bem treinada e a disposição de conviver com a experiência de ver o paciente continuamente esboçar sumária e irrefutavelmente – na associação livre, na imaginação ativa e no distúrbio de comportamento – as fraquezas mais conflituosas e desagradáveis do terapeuta.

Durante algum tempo, os junguianos compartilharam com colegas de outras correntes psicanalíticas a pressuposição – fundamental em suas práticas e em suas apresentações de caso – do mito do observador-intérprete inocente (ver Langs, 1982; Racker, 1972; Szasz, 1963). O mito reza que o terapeuta deve ser considerado basicamente "inocente" de muito do que transcorre no espaço interacional da terapia e nos espaços intrapsíquicos do paciente. O que ali sucede é visto como ocorrência autônoma no contexto da presença de um terapeuta estável e facilitador que pode falhar de vez em quando. Assim, geralmente as interpretações ou comentários apresentados ao paciente assumem a forma de demonstração de padrões de comportamento ou constelações "complexas" ou "inconscientes" que o paciente vivencia ou contra o que luta. "*Você* está vivenciando isso e aquilo" ou "*seu* inconsciente agora está lidando com isso e aquilo ou manifestando-o" são o tipo de declaração que não exprime toda a verdade de um campo interacional. Elas sutilmente pressupõem que os eventos interiores do paciente são, no máximo, tangencialmente ligados ao comportamento do terapeuta. Elas não são verdadeiramente interacionais. Uma expressão melhor do processo interacional seria: "Fiz isso e aquilo. Você me percebeu e vivenciou em suas imagens e comportamento de tal maneira específica e complexa e agora, por causa disso, você está vivenciando ou lidando com isso e aquilo – ou, pelo contrário, você deseja isso e aquilo ou está comportando-se assim ou assado".

Jung, mais que qualquer outro psicólogo ou psicanalista de sua geração, conseguiu trabalhar em parte livre desse mito e visualizar plenamente a natureza interacional do processo de terapia como sendo "de tal intensidade que poderíamos quase falar de uma 'combinação'. Quando duas substâncias químicas se combinam, ambas se alteram" (1966a, § 358). Contudo, ele não se manteve fiel a esse ponto de vista da "combinação" quando deu exemplos específicos de sua prática. Tampouco o fizeram muitos de seus seguidores. Na maioria das vezes, encontra-se apenas uma breve menção ao *mixtum compositum* interacional de terapeuta e paciente ou à visão de que ambos estão presentes no continente alquímico e fazem parte do processo. A ênfase recai quase sempre no que ocorre *dentro* do paciente, intrapsiquicamente, em termos das imagens, sonhos e afetos que emanam do inconsciente deste. Portanto, é comum que as realidades interacionais entre terapeuta e paciente não sejam exploradas de modo algum, que sua importância seja considerada desprezível ou que sejam vistas simplesmente como um bom continente para o processo interior do paciente. Não se consegue análise nem relação consciente igualmente intensas com as realidades complexas contínuas e multifacetadas dos "dois sistemas psíquicos em interação". Essa tarefa árdua é facilmente posta de lado em favor de uma abordagem parcial, que privilegia apenas a perspectiva intrapsíquica. Isso não configura uma maneira adequada de lidar com as forças inconscientes dentro do paciente e do terapeuta, que pressionam no sentido de conseguir estabelecer uma união não analítica, na verdade incestuosa e aberrante, dentro da relação terapêutica. Essa união aberrante então concretiza, pela colaboração mútua de terapeuta e paciente, significativo material inconsciente, de tal modo que lhe impede o alçamento em imagem e consciência, a menos que se proceda a uma cuidadosa investigação para entender as realidades interacionais. Em certos casos, portanto, a abordagem puramente simbólica da terapia se baseia numa união aberrante e recebe sua energia impulsora não de uma relação criativa com o inconsciente, mas, sim, de uma atuação inflacionada e inebriante da experiência de fusão do paciente pelo desabrochar espetacular e impressionante das imagens, fantasias e sonhos liberados. A força propulsora vem do alívio obtido por não ter de lidar com a fase de *nigredo* interacional do processo de individuação.

Além disso, de uma perspectiva um tanto diferente, conforme apontou recentemente um autor, o terapeuta deve estar de sobreaviso para não ser ele quem "estabelece um contrato com [...] pacientes no qual estes trazem suas intensas experiências de vida e [o terapeuta] as devolve para eles traduzidas em fantasias" (Khan, 1978, p. 260). O mesmo autor acrescenta: "Tal interpretação de fantasias cria uma realidade pseudopsíquica na qual o paciente se vicia. Isso leva àquelas análises intermináveis de que sempre ouvimos falar hoje em dia" (Khan, 1978, p. 263).

Em outro artigo, resumi as investigações de Jung acerca das origens rudimentares da vida simbólico-imaginária nos estágios de desenvolvimento do bebê: "O ato de simbolizar sempre pressupõe certa aceitação da incapacidade de reobter na realidade o estado 'incestuoso' original pelo qual o indivíduo alguma vez regressivamente clamou" (Goodheart, 1981, pp. 14-15). Para aceitar essa incapacidade, o paciente deve ser frustrado, por um lado, em seu desejo de obter na realidade a união incestuosa e natural aberrante pela qual clama parte de sua vida inconsciente; por outro, o paciente deve receber o encontro humano e compassivo com o terapeuta, que traz a compreensão e o entendimento de suas várias e contraditórias necessidades e a postura firme em prol do despertar e da emergência da *imaginatio*. Esse é um passo enorme, fundamental, que Jung descreve como "[...] a tentativa de libertar a consciência do ego das presas mortais do inconsciente" (1956, § 539) ou como o movimento que evita "prender-se à corporalidade material da mãe" (1956, § 510).

Em nosso exemplo, isso corresponderia na atitude do terapeuta de eximir-se de entregar o cinzeiro ao paciente e até de mostrar-se favorável ou contrário a que este fumasse. A questão não é concordar ou proibir: é elevar o desejo e a permissão para fumar à compreensão simbólica. O terapeuta está lutando justamente para livrar o paciente do domínio dessas presas mortais e da corporalidade material da mãe. A sua tarefa é ganhar acesso a seu *equivalente simbólico* [grifo meu] (1956, § 522) e apresentá-lo ao paciente.

Na terapia, esse é sempre um momento de extrema tensão, pois de fato estamos lidando com "presas mortais". O terapeuta deixa a permissão em suspenso, tolera a tensão que isso provoca e então deve fornecer uma interpretação que sirva de equivalente simbólico e substitua o sacrifício e a perda que o paciente está sofrendo por renunciar a essa união aberrante desejada e ao alívio que ela imediatamente traria. Essa substituição é um magnífico dom composto de várias realizações do terapeuta: sua capacidade de renunciar à necessidade da união natural aberrante, que alivia a ansiedade, e ao apego à "corporalidade material da mãe" e a de oferecer, por estar num estado de maior individuação que o paciente, uma interpretação, apesar da exigência regressiva e da ansiedade contagiante. Esse é um produto raro e criativo da compreensão do terapeuta, da reação empática e da compreensão simbólica, da sua própria *imaginatio* e alma. Esse dom devolve aos pacientes a complexidade de suas experiências em suas próprias imagens e símbolos, criativamente organizados para esclarecer-lhes a sua realidade, a realidade que compartilham com o terapeuta e a realidade empática, verdadeira e transferencialmente distorcida, do terapeuta. Ele humaniza as forças inicialmente indiferenciadas responsáveis por essas realidades. Com esse esforço, o paciente é capturado numa teia de significado, empatia e compreensão simbólica mútua. Esse é um momento de counião, de *coniunctio* embrionária, para paciente e terapeuta. Ele é o auge de uma união não aberrante, de uma união não natural – uma união *contra naturam*. A entrega do cinzeiro foi um momento de união aberrante e natural, um momento de incesto físico, um momento em que ambos se viram nas presas mortais da corporalidade material da mãe, que destrói temporariamente o círculo fascinante.

O nascimento interacional dos conceitos de "transferência" e "psique autônoma"

Os pioneiros da psicanálise estavam adentrando, pela primeira vez, a relação mais íntima entre duas pessoas já vista pela humanidade. As exigências sofridas pelas psiques desses homens e mulheres eram enormes, pois eles não tinham precedentes pelos quais guiar-se nem arcabouços teóricos preexistentes em que se basear. Eles se lançaram no caótico torvelinho de seu mundo interior e no de seus pacientes, torvelinho esse que emergia desse contato único, particular, íntimo e intenso. Eles tiveram de encontrar uma maneira de enfrentar-se e reconciliar-se com forças psíquicas brutas, antes confrontadas diretamente apenas pelos que conheceram de perto a insanidade, fosse esta bafejada ou não pela criatividade. Todos conhecemos a história desses pioneiros, por vezes permeada de violentos cismas e até suicídios.

Agora podemos compreender, por exemplo, o caos emocional vivido por Joseph Breuer, o primeiro dentre os pioneiros. Ele atendeu Ana O., que o fez entender a importância da "cura pela palavra". Entretanto, o envolvimento erótico inconsciente de Breuer com ela a fez tornar-se para ele uma substituta inconsciente da mãe, que ele havia perdido quando era muito novo. E ele se tornou um substituto para o pai que ela perdera havia pouco, uma substituição carregada de erotismo.

Ambos descobriram um caminho rudimentar para a *imaginatio*, mas fracassaram redondamente ao confundir e misturar o atendimento físico com a interpretação simbólica e a transformação. A experiência inteira degringolou, portanto, numa intoxicação erótica que os prendeu numa relação amorosa disfarçada de terapia que, na verdade, era uma união aberrante encerrada nas presas mortais do inconsciente. Quando se deu conta do que realmente estava ocorrendo, ele teve de fugir. Essa experiência mudou completamente o rumo da vida de Ana O. Ela precisou de internação psiquiátrica e tratamento contra a dependência da morfina, à qual Breuer inadvertidamente a induzira. Permaneceu solteira e dedicou o resto da vida a ajudar mulheres que haviam sido vítimas de abuso e exploração.

Sigmund Freud, discípulo e admirador de Breuer, ficou horrorizado com o desfecho desse primeiro caso de "cura pela palavra". Porém ele havia percebido também seu grande potencial. A partir daí, abordou-a com a máxima cautela, não esquecendo jamais o que ocorrera com Breuer. Aguardou diversos anos até submeter-se pessoalmente a ela e, quando finalmente começou a trabalhar com pacientes, pôde ver por ele também o caldeirão de emoções e imagens primitivas anteriormente reprimidas. Contudo, ao contrário de Breuer, Freud de repente encontrou uma solução, uma base, uma forma de obter algum distanciamento e separação diante dos gestos erotizados de que era alvo. Em meio às emoções e imagens emergentes, ele subitamente deu com a ideia de que os sentimentos eróticos a ele dirigidos eram "falsas conexões" (Breuer e Freud, 1895; ver também Langs, 1982), que não possuíam nenhuma ligação válida com a sua pessoa e, na verdade, só caberiam em algum outro lugar, o qual deveria ser o das figuras primárias da infância do paciente: Freud deduziu que, de alguma forma, havia um romance familiar não resolvido que era inadequadamente reencenado em torno dele próprio. Essa era uma hipótese brilhante, da qual evoluiu seu inovador conceito de "transferência". Porém, no momento em que foi concebido, o conceito servia também como uma intelectualização defensiva que lhe trazia algum alívio e o impedia de ver, à luz da realidade, os seus envolvimentos eróticos e a sua própria contribuição para os processos interacionais que ocorriam entre ele e os pacientes! Freud era, com efeito, um homem fino, encantador e sexualmente cheio de conflitos (Roazen, 1974). Provavelmente, e talvez inconscientemente, ele era sedutor com os pacientes, muito mais do que se dava conta, e derivava algum alívio e gratificação erótica do trabalho. Portanto, os sentimentos sexuais a ele dirigidos por pacientes eram, em parte, reações apropriadas à realidade que ele inconscientemente lhes apresentava. Assim, seu conceito de transferência era, em parte, uma negação defensiva e, em parte, uma força repressora contrária à plena percepção de sua interação com os pacientes.

Jung entrou no novo mundo da situação analítica acossado por todos os seus conflitos interiores não resolvidos. Ele era bem mais jovem e inexperiente que Freud e não tivera uma lição como a de Breuer que lhe servisse de parâmetro e advertência. Estava impregnado do puritanismo suíço, que não lhe permitira integrar consideráveis conflitos eróticos inconscientes e, além disso, estava determinado a provar a existência de uma dimensão espiritual da psique. Como Freud, ele precisava de base e de distanciamento e os conseguiu com a brilhante formulação da "psique autônoma", que posteriormente serviria de ponto de partida para os conceitos de "realidade da psique" e "inconsciente coletivo" de sua maturidade. Como o conceito de transferência no caso de Freud, essa formulação deu-lhe desde o início a base e o distanciamento necessários. E, também como esse conceito de Freud, o de Jung nasceu em parte como um construto intelectualizado, isolador e defensivo que o ajudaria a negar e reprimir a plena percepção de suas próprias contribuições inconscientes e a participação nas experiências instintivas e cheias de complexos dos pacientes e em suas realidades interacionais mútuas. Enquanto Freud circunscreveu a origem da experiência do paciente em outro lugar que não a interação, isto é, num "romance familiar", Jung a situou num "romance mitológico", por assim dizer. Dessa forma, ambos se eximiram de reconhecer sua plena responsabilidade e contribuição constante em relação aos campos interacionais e aos campos intrapsíquicos de seus pacientes. Postular a transferência ou a psique autônoma isoladamente como motor principal na situação terapêutica é invocar o mito do observador-intérprete inocente. Nem Freud nem Jung acreditavam totalmente nesse mito. Jung, inclusive, o questionou mais a fundo que Freud, e ele foi uma das questões mais importantes em seu rompimento com o mestre. Porém, como Freud, ele partiu implicitamente desse mito ao escrever acerca dos pacientes e ao descrever o que pensava a respeito deles. Isso não é de surpreender, pois esses pioneiros tinham de encontrar um fulcro em que basear-se e a partir do qual observar e elaborar seus comentários para os pacientes. Eles precisavam desesperadamente desse mito em sua prática clínica: graças à estabilidade e ao distanciamento permitidos por ele é que a situação analítica pôde surgir. Assim, a necessária distância entre paciente e terapeuta – que Breuer perdera – pôde ser mantida.

Isso pode ser percebido com maior evidência no primeiro escrito de Jung, sua dissertação, intitulada *On the Psychology and Pathology of So-called Occult Phenomena* (1970c, §§ 1-165). Aí fica claro que ele elaborou o conceito de "psique autônoma" justamente no momento em que precisava negar a existência de uma relação impregnada de erotismo entre ele e o sujeito ou "paciente" do estudo em questão, que na verdade era sua prima, Helene Preiswerk. Com a introdução do conceito, Jung pôde alegar que sua presença e seus atos concretos tinham pouca ou nenhuma influência e não contribuíam para o aflorar das fantasias e subpersonalidades eróticas e incestuosas que ela estava criando e que não havia relação importante de causa e efeito entre ele mesmo e a vida imaginária emocional e psíquica dela (Goodheart, 1984).

Freud, Jung e seus seguidores precisavam do mito do observador-intérprete inocente como base sobre a qual iniciar uma investigação acerca da natureza da psique humana ferida e sua possibilidade de tratamento. Graças a seu trabalho e ao profundo enriquecimento da consciência – da consciência *analítica* – que eles nos legaram, já não precisamos desse mito.

Hoje faz mais de cem anos que Breuer atendeu Ana O. e oitenta que Jung atendeu Helene Preiswerk. Graças a seus esforços pioneiros e às bases que lançaram, conseguimos ampliar nossa consciência de nós mesmos enquanto analistas e terapeutas, a ponto de começarmos a tolerar o fato irrefutável de que os *pacientes inconscientemente observam tudo o que há por trás do que o terapeuta diz e faz*. Aprendemos que o comportamento e a comunicação do terapeuta estão permeados de necessidades inconscientes instintivas, arquetípicas e defensivas que obstruem o processo analítico e a plena individuação do paciente. Aprendemos que os pacientes não só percebem e retratam inconscientemente essas necessidades em suas associações como tendências e partes atribuídas a várias figuras de reminiscências, fantasias e sonhos, mas também inconscientemente se esforçam por comunicar imagens e comportamentos compensatórios a seus terapeutas, numa tentativa de curá-los.

Jung analisou com certa minúcia a percepção inconsciente em sua primeira obra, vendo-a como parte da mais fundamental textura organizadora da psique inconsciente, uma dimensão solidamente encravada por trás de todas as clivagens e dissociações (1970*c*, § 130). Nesse primeiro escrito, ele lançou as bases teóricas para a posterior elaboração desse processo em que o indivíduo está imerso em intensas interações. Mas, da mesma forma que Freud, ele parou por aí. Prosseguir seria o mesmo que jogar por terra o mito do observador-intérprete inocente, algo simplesmente impossível naquele momento de fundação das premissas da empresa analítica. Como a análise ainda não havia sido criada, como poderiam esses pioneiros envolver-se num sutil processo de autoanálise por meio dos esforços e produções inconscientes de seus pacientes? Qual a firmeza do terreno em que poderiam pisar para começar a investigação da psique? *Antes*, a premissa básica era que o terapeuta seria mais são que o paciente e, com base nisso, o terapeuta teria o direito de fazer inferências acerca do que se passava dentro do paciente e poderia fazer interpretações. *Agora*, a premissa é a de que parte do inconsciente do paciente é mais são que o terapeuta ou, pelo menos, emite comentários sãos acerca das atitudes menos sãs ou equilibradas do terapeuta. É nisso que os terapeutas de hoje podem pautar-se e nisso que podem depositar toda a sua confiança:

> Na relação médico-paciente, existem fatores irracionais que produzem *transformações* mútuas. Ao final, será decisiva a personalidade mais estável e mais forte. [...] O médico também "está em análise", tanto quanto o paciente. Ele é parte integrante do processo psíquico do tratamento, tanto quanto este último, razão por que também está exposto às influências transformadoras. [...] O médico fica, portanto, com uma tarefa semelhante à que ele gostaria de dar como encargo ao paciente. (1966*a*, §§ 164, 166, 167).

Eu gostaria de concluir apresentando aquela que, creio, seria a mais útil e terapêutica interpretação ou "equivalente simbólico" do nosso paciente. Ela emerge do paradigma da interação e da reciprocidade, que está implícito no pensamento de Jung, mas que ele não podia adotar em sua prática clínica da forma que hoje podemos fazer:

> "Bem, eu o incentivei a simplesmente ir em frente e dizer o que lhe viesse à cabeça, pois essa seria a melhor maneira de prosseguirmos e descobrirmos algo a respeito dessas coisas de que você se queixa. E, quando o fiz, você concordou e disse que as coisas em geral estavam indo bem. Isso pode ter-lhe dado uma ideia acerca de sua impressão

da minha solicitação para que continuasse – isto é, que assim tudo iria bem. Mas então você ficou ansioso e pediu permissão para fumar. E, ao invés de insistir em que você falasse mais sobre o que lhe vinha à mente com relação a essa ansiedade que você sentia e à necessidade de fumar, eu lhe *dei* um cinzeiro, *entreguei-o* a você diretamente, e com isso o incentivei a aliviar a ansiedade por meio do fumo.

Isso na verdade o aliviou, mas em seguida você começou a falar de sua falta de confiança nos seus sócios. Sem dúvida, nós aqui somos sócios, somos parceiros, e você está indicando que viu o fato de eu lhe entregar o cinzeiro como um indício de que não deveria confiar em mim, pois depois apresentou imagens de seus parceiros como ansiosos e indignos de confiança nos momentos críticos. O momento em que me perguntou se poderia fumar foi um momento crítico entre nós, e o que você está dizendo é que me sentiu como ansioso e indigno de confiança ao permitir-lhe o fumo. Você prosseguiu com as imagens de 'não saber o que fazer' e de médicos que tratavam da ansiedade mediante agentes químicos. Isso poderia igualmente sugerir que você indiretamente começou a sentir que eu não sabia o que estava fazendo quando lhe entreguei aquele cinzeiro e que, da mesma forma que aqueles médicos que você censura, eu resolveria seu problema com a ansiedade – essa ansiedade em você e em mim mesmo – incentivando-o a acender um cigarro, um agente químico, para solucionar temporariamente o problema. Nesse plano, você na verdade está dizendo que não gostou desse meu comportamento, que ele está interferindo com nosso trabalho aqui, que quer que eu pare de fazer isso e que tampouco quer fumar para solucionar temporariamente a sua ansiedade e a minha".

Eis aí um exemplo da maneira como entendo e aplico em minha prática de análise a famosa declaração de Jung acerca do processo dialético da análise:

A exigência de análise para o próprio analista tem em vista a ideia do método dialético. Como se sabe, o terapeuta nele se relaciona com outro sistema psíquico, não só para perguntar, mas também para responder; não mais como superior, perito, juiz e conselheiro, mas como alguém que vivencia junto, que no processo dialético se encontra em pé de igualdade com aquele que ainda é considerado o paciente. (1966a, § 8).

Referências

BREUER, Jr. e FREUD, S. 1895. *Studies on Hysteria*. In: *Standard Edition*, vol. 2, pp. 1-305. Londres: Hogarth Press.

GOODHEART, W. 1980. "Theory of analytic interaction". *The San Francisco Jung Institute Library Journal* 1:2-39.

GOODHEART, W. 1981. "Between reality and fantasy". *The San Francisco Jung Institute Library Journal* 2:1-24.

GOODHEART, W. 1982. Resenha de *The Supervisory Experience*, de Robert Langs. *Quadrant* 15:73-75.

GOODHEART, W. 1984. "Jung's first 'patient' – On the seminal emergence of Jung's thought". *Journal of Analytical Psychology* 29:1.

GROESBECK, C. J. 1983a. "Freud and Jung – Similarities and differences". Apresentado no Simpósio Freud-Jung, Langley Porter Psychiatric Institute, University of California Medical Center, San Francisco.

GROESBECK, C. J. 1983b. Resenha de *A Secret Symmetry: Sabina Spielrein Between Jung and Freud*, de A. Carotenuto. *Psychological Perspectives* 14/1:89-99.

GROESBECK, C. J. 1984. Carl Jung. In: *Comprehensive Textbook of Psychiatry*, 4. ed., H. I. Kaplan e B. J. Sadock, orgs., cap. 9.3. Baltimore: Williams & Wilkins.

JAFFE, L. 1982. "From the ridiculous to the sublime: A desultory introduction to the psychology of Robert Langs". (Palestra proferida no Psychotherapy Institute, Berkeley, Calif.) *Psychotherapy Institute Journal* 1/1:24-31.

JUNG, C. G. 1956. *Symbols of Transformation*. In: *Collected Works*, vol. 5. Princeton: Princeton University Press.

JUNG, C. G. 1959. *Aion: Researches Into the Phenomenology of the Self*. In: *Collected Works*, vol. 9, ii. Princeton: Princeton University Press.

JUNG, C. G. 1961. *Freud and Psychoanalysis*. In: *Collected Works*, vol. 4. Princeton: Princeton University Press.

JUNG, C. G. 1966*a*. *The Practice of Psychotherapy*. In: *Collected Works*, vol. 16. Princeton: Princeton University Press.

JUNG, C. G. 1966*b*. *Two Essays on Analytical Psychology*. In: *Collected Works*, vol. 7. Princeton: Princeton University Press.

JUNG, C. G. 1968. *Psychology and Alchemy*. In: *Collected Works*, vol. 12. Princeton: Princeton University Press.

JUNG, C. G. 1970*a*. *Civilization in Transition*. In: *Collected Works*, vol. 10. Princeton: Princeton University Press.

JUNG, C. G. 1970*b*. *Mysterium Coniunctionis*. In: *Collected Works*, vol. 14. Princeton: Princeton University Press.

JUNG, C. G. 1970*c*. *Psychiatric Studies*. In: *Collected Works*, vol. 1. Princeton: Princeton University Press.

KHAN, M. Masud R. 1978. "Secret as potential space". In: *Between Reality and Fantasy*, S. A. Grolnick & L. Barkin, orgs., pp. 257-269. Nova York: Jason Aronson.

LANGS, R. 1982. *The psychotherapeutic conspiracy*. Nova York: Jason Aronson.

RACKER, H. 1972. "The meanings and use of countertransference." *Psychiatric Quarterly* 41:487-506.

ROAZEN, P. 1974. *Freud and His Followers*. Nova York: New American Library.

STEVENS, B. 1982*a*. "A critical assessment of the work of Robert Langs". *The San Francisco Jung Institute Library Journal* 3:1-36.

STEVENS, B. 1982*b*. "An exchange of letters with R. Langs". *The San Francisco Jung Institute Library Journal* 3:55-60.

SZASZ, T. 1963. "The concept of transference". *International Journal of Psychoanalysis* 44:432-43.

Reflexões sobre o Processo de Transferência/Contratransferência com Pacientes com Transtorno de Personalidade Borderline

Harriet Gordon Machtiger*

> *E o fim de toda a nossa exploração*
> *Será chegar ao ponto de partida*
> *E reconhecer o lugar ainda*
> *Como da primeira vez que o vimos.*
> T. S. Eliot, Little Gidding

A prática da psicologia analítica ainda está em seus estágios formativos. O próprio Jung abraçava uma abertura empírica a novas ideias, aceitava e incentivava a mudança e frisava a importância da experiência própria

---

* **Harriet Gordon Machtiger** é analista junguiana com consultório em Pittsburgh, Pennsylvania. Diplomada pelo University of London Child Development Center, obteve seu Ph. D. em Psicologia pela University of London. Com treinamento em psicoterapia infantil na Tavistock Clinic e formação em análise junguiana na British Association of Therapists, ela é membro da New York Association of Analytical Psychologists e da Inter-Regional Society of Jungian Analysts e autora de "Countertransference/Transference", publicado em *Jungian Analysis* (M. Stein, org., 1982).
© 1984 Chiron Publications

na adoção de uma determinada posição teórica. Como junguianos, precisamos avaliar e reavaliar constantemente nossa forma de intervenção terapêutica e estar dispostos a absorver e implementar mudanças teóricas.

Minhas ideias para este ensaio provêm do trabalho clínico com inúmeros pacientes portadores de características do Transtorno de Personalidade Borderline. A análise junguiana exerce uma atração muito grande sobre os indivíduos que apresentam essa condição, pois veem em Jung uma legitimação de sua psicologia pessoal. Os pacientes que deram origem às ideias aqui expressas contribuíram enormemente para meu crescimento como pessoa e como analista.

Por sua interação com outro ser humano, o criativo encontro do processo analítico pode facilitar a experiência emocional corretiva que é pré-requisito para o crescimento e o desenvolvimento necessários à mudança do funcionamento da personalidade borderline para o de um nível superior. No caso do paciente borderline, ocorre inicialmente uma falha do meio devido a insuficiências parentais crônicas e repetitivas no atendimento da constelação de necessidades de amadurecimento específicas apresentadas por ele na tenra infância e na infância. Essas antigas relações patológicas provavelmente se sobrepõem, mais cedo ou mais tarde, a todas as relações emocionalmente significativas subsequentes. Isso leva a mais fracassos e aberrações intrapsíquicas e interpessoais. As pessoas que procuram tratamento trazem seus diferentes modos de vivenciar a si mesmas e aos outros, ou seus subjetivos sistemas fenomenológicos de coordenadas, à situação analítica. Essa experiência subjetiva é reatualizada no processo relacional de transferência/contratransferência. Os pacientes borderlines já tiveram uma falha de amadurecimento na infância. Por terem tamanha dificuldade com o relacionamento interpessoal, eles correm um claro risco de experimentar uma segunda falha de amadurecimento na terapia, a menos que o analista seja capaz de reagir de modo adequado ao desenvolvimento.

O termo *borderline* não é uma condição ou entidade de diagnóstico claro. Essa condição não existe de forma clara e definida. Trata-se de um título descritivo para uma categoria razoavelmente ampla de indivíduos com desenvolvimento psicológico atrofiado. A síndrome foi descrita como uma deficiência (Balint, 1968; Harding, 1965). Segundo Kohut (1971), o paciente borderline tem determinados distúrbios no domínio do eu. Os objetos não são experimentados como separados e independentes do eu. Os pontos de fixação situam-se num ponto bastante inicial do desenvolvimento psíquico. Há um defeito de funcionamento no ego. Grinker e Dry (1968) citam as características e manifestações clínicas dos pacientes e assinalam o medo da agressividade em si mesmos e nos outros, o receio do amor e da intimidade, os relacionamentos interpessoais tênues e a deficiente orientação para a realidade. Há um emprego maior que o habitual da negação e da projeção, uma propensão para a atuação, a promiscuidade e o abuso de drogas. Conforme Knight (1954), o caso do paciente Borderline é aquele em que as funções e defesas normais do ego contra os impulsos inconscientes primitivos estão gravemente debilitadas.

Jung (1946) aborda o estado borderline a partir da ideia de Janet de um *abaissement du niveau mental*. Há uma desintegração e um rebaixamento do limiar da consciência e a intrusão de conteúdos arcaicos não suficientemente inibidos. Quando a consciência se desintegra, os complexos são simultaneamente libertados das restrições e irrompem na consciência do ego. O *abaissement* denota a perda de supremacia do ego, após uma luta com as forças e conteúdos inconscientes. A formulação de Jung é útil por desviar-se dos problemas da classificação nosológica. O *abaissement* é encontrado nas neuroses bem como nas psicoses. Trata-se de uma diferença de grau, um estado qualitativo e quantitativo, em vez do cruzar de uma linha hipotética. É um *continuum* no qual, no caso das neuroses, a unidade da personalidade é pelo menos potencialmente preservada.

O problema do paciente surge da falta de integração e adaptação à realidade. Há uma falta de tolerância à ansiedade, impulsos, medos e sentimentos de culpa. O conflito central na distinção entre o eu e o mundo exterior – cheio de ambivalência e permeado pelo medo de que o ódio se mostre maior que o amor – poderia levar o paciente a machucar-se ou machucar o objeto amado. Muitos dos pacientes precisam submeter o medo de que sua destrutividade seja onipotente à prova da realidade. Os borderlines têm dificuldade de manter uma relação uma vez que esta tenha sido invadida por conflitos ou frustrações. Muitos dos impulsos intensamente destrutivos não podem ser expressos. Além da instabilidade nos relacionamentos, há flutuações de humor e problemas de identidade. Duas das queixas mais comuns são o tédio e uma grande solidão. Pode haver uma raiva muito grande e penetrante e vulnerabilidade ou fragilidade generalizada. Abuso de drogas, episódios depressivos e psicoses transitórias podem manifestar-se. Há preocupação com o poder, dissociação maciça, defesas contra a desintegração e o sentimento de não ter direito a existir. A privação precoce da mãe leva a uma falta de Eros. Graças a essa falta, os temas relacionados ao poder têm papel importante na terapia dos borderlines. Os medos incontroláveis são de separação, abandono e aniquilação. Os borderlines são desconfiados, carecem da capacidade de confiar. Em certos indivíduos, a sensação compensatória de grandiosidade e de ter direito a tudo, inclusive a viver sem trabalhar, pode ser exorbitante.

Em alguns casos de pacientes portadores de Transtorno de Personalidade Borderline há uma transgressão da linha hipotética entre a neurose e a psicose. Em outros, há um quadro clínico relativamente estável, no qual coexistem sinais de psicose, neurose e funcionamento adequado do ego. O amplo espectro dos estados borderlines possui uma psicologia variável. A descrição de Jung do *abaissement* coincide com esses padrões de comportamento borderline.

Como o borderline está perto do mundo arquetípico ou perdido nele, o conteúdo arquetípico poderá irromper com facilidade, como, por exemplo, no comportamento compulsivo do Don Juan. Jung atribui essa tendência a um distúrbio na relação primordial num estágio de desenvolvimento em que o ego ainda não está consolidado. O enfraquecimento do ego possibilita uma inundação direta de conteúdos inconscientes, o que tem uma influência restritiva sobre a personalidade como um todo. Posteriormente, o distúrbio se reflete em sentimentos de abandono, inferioridade e falta de envolvimento e em reações sadomasoquistas. Em essência, a principal preocupação do borderline está em problemas que giram em torno de simbiose e relações objetais.

Enquanto os arquétipos estão sendo liberados e ativados pelo encontro real com outro ser humano, uma experiência emocional adversa em relação aos pais, ou à mãe inicialmente, é um trauma que provoca reações de medo, ansiedade, agressividade ou angústia. A criança sente-se sobrepujada por forças interiores, material inconsciente, e pela perda de contato com a totalidade do *Self*. O *Self* é inicialmente vivenciado por meio de projeção sobre os pais. A perda da mãe é vivida como a perda do estado ideal do *Self*. O processo de desenvolvimento durante os três primeiros anos está centrado na evocação e diferenciação dos arquétipos que determinam os vários componentes da personalidade da criança.

O *Self* é o arquétipo central que cerca e contém todos os demais elementos arquetípicos. Uma vez que o *Self* que contém esses componentes da personalidade desenvolve-se dentro do contexto da matriz da mãe, e a pessoa que detém essa função é vista como a mediadora da organização psíquica, a previsível e coerente presença da mãe boa o bastante ao longo dos primeiros meses de vida serve para condicionar de uma determinada forma o universo de experiência do bebê. A inter-relação que transforma o bebê e a mãe zelosa numa unidade torna-se a primeira e a mais importante relação objetal. Antes de qualquer coisa, ela evita que os estados traumáticos sobrepujem o bebê e impeçam a organização psíquica. E depois é por meio da mãe e seu corpo que impulso, sentimento, ação e finalmente o raciocínio se organizam como parte do eu e se integram não só uns com os outros, mas também com a realidade exterior que a mãe representa. Quando o desenvolvimento inicial dentro da matriz da mãe transcorre bem, o resultado é um eu coeso, que se relaciona com a realidade e com os objetos.

Distúrbios como a separação da mãe, a fome ou enfermidades levam a uma perturbação na evocação do arquétipo materno. Esses problemas precoces danificam o eixo ego-*Self* e resultam nos problemas psicológicos do borderline. M. Fordham (1957) conclui que ele tem um processo de deintegração defeituoso, no qual a concatenação dos núcleos do *Self* é instável. Com a experiência do trauma e das necessidades não atendidas, o estado de inflação original da criança começa a dissolver-se, dando origem a um estado de alienação. A imagem parental arquetípica da criança que contou com bom nível de atenção física, mas não vivenciou o verdadeiro calor – como também a daquela que teve demasiada atenção – pode sofrer danos. Segundo Neumann (1973):

> A predominância de uma experiência negativa inunda o núcleo do ego, dissolve-o ou dá-lhe uma carga negativa, afligindo o ego [...]. O modo como a criança vivencia o mundo, o tu e o *Self* carrega a marca da aflição ou da fatalidade. (p. 74)

Ele acrescenta que as raízes da Síndrome de Borderline

> estão no desabrochar de relações entre ego e tu, entre ego e corpo, entre ego e *Self*, que nas relações primordiais estão inextricavelmente ligadas [...]. A doença ou a saúde do indivíduo e seu sucesso ou fracasso posterior na vida dependem desse processo. (p. 44)

A mãe carrega as projeções do arquétipo da Grande Mãe, ou a todo-poderosa mulher numinosa da qual se é dependente. A relação entre mãe e bebê encontra paralelo na interação de Criança Divina e Grande Mãe no mundo interior. Jung (1912, § 431), no capítulo sobre "The Battle for Deliverance from the Mother"/"A Batalha pelo Desligamento da Mãe", descreve uma tendência infantil que é

> sempre caracterizada por uma predominância da imago parental [...] porque ele não se libertou o suficiente – ou nem um pouco – do ambiente da infância [...]. Ele é incapaz de viver sua própria vida.

Parte da personalidade borderline atingiu um grau maior de amadurecimento nos relacionamentos interpessoais. Essa é a parte que inicialmente leva o paciente à terapia. Outras partes estão presas no nível da simbiose, em que constelações arquetípicas antigas ou introjeções parentais se solidificaram. Isso resulta em impasses e atrofia no desenvolvimento de padrões arquetípicos. Von Franz (1970), em seu estudo do *puer aeternus*, chama a atenção para esse estado do inconsciente voltado para a mãe.

Jung (1953, § 81) frisa a importância de lembrar e reviver os eventos da infância, já que há fragmentos da infância que devem ser integrados na consciência adulta: "O subir e descer escadas ao lado do pai e da mãe representa a conscientização de conteúdos infantis que ainda não foram integrados".

A cura do eu só pode acontecer depois que analista e analisando aceitam os aspectos heroicos e divinos do arquétipo da criança. Isso leva a uma noção de identidade mais unificada e estável. Antes que isso ocorra, os analisandos não podem ser quem realmente são ou, parafraseando Winnicott (1965), seus verdadeiros eus. Winnicott considera a sensação de ser realmente uma manifestação essencial do "verdadeiro eu", ao passo que a sensação contrária é uma propensão típica do "falso eu". Khan (1974) observa que o eu se protege da aniquilação permanecendo dissociado e oculto.

A terapia fornece a oportunidade de reparar ou reconstruir o dano representado pelo Transtorno de Personalidade Borderline entre o ego e o eu e entre o eu e o outro. De acordo com Lambert (1981), a tenra infância pode ser analisada "não só para reparar o dano com uma subsequente liberação do desenvolvimento atrasado como também para permitir ao paciente ligar-se emocionalmente à sua infância e [...] mais realisticamente ao Arquétipo da Criança Divina" (p. 11). Os pais verdadeiros precisam ser distinguidos dos arquetípicos. O borderline pode ver-se imerso em ódio e rebeldia contra os pais, ao mesmo tempo em que os idealiza. O meio continente da transferência/contratransferência cria o espaço interior necessário para "a delusão de unidade entre analista e analisando" (Lambert, 1981, p. 12).

A transferência/contratransferência, como condição *sine qua non* do trabalho analítico, é o ingrediente vital na reparação de atrofias de desenvolvimento e na finalização do processo interminado da infância. Além disso, ela anuncia o surgimento dos aspectos que despontam ou se desenvolvem na psique e intensifica a busca de novos começos e soluções na luta inata pela plenitude. Mediante o uso da transferência/contratransferência, ganhamos renovada compreensão da interação entre a história pessoal do indivíduo e seu desenvolvimento arquetípico. A transferência/contratransferência fornece a arena para a resolução do estado borderline pela reconstituição do espaço transicional de uma *participation mystique*, ou forma mais simbiótica de ser, que deixa que a cura tenha lugar. O analista carrega a projeção do *Self* e é identificado com o símbolo de uma meta ou objetivo transcendente. Os penosos problemas interiores do paciente são introjetados pela contratransferência sintônica. O analista ajuda o paciente a compreender e integrar o material de uma forma nova. Essa nova integração finalmente resultará no crescimento que faculta a independência ao paciente. Há uma restauração do contato com as fontes interiores de força e aceitação. A imagem danificada é substituída por uma imagem da plenitude por meio da projeção da imagem parental no analista. Segundo Jung (1955, § 232), "o que foi posto a perder pelo pai só pode ser refeito por um pai, e o que foi posto a perder pela mãe só pode ser reparado por uma mãe". Só quando o indivíduo tiver vivido a experiência de uma relação positiva com uma figura parental, ele poderá libertar-se do aspecto negativo e destrutivo a que se vê escravizado.

Já que os pacientes borderlines caracterizam-se por apresentar relações interpessoais instáveis, incapacidade de amar, deficiências de empatia, percepções egocêntricas da realidade e exigências solipsas de atenção, seu comportamento pode minar a noção de eu do terapeuta, dificultando-lhe tornar-se um "terapeuta bom o bastante" – uma espécie de mistura da "mãe boa o bastante" de Winnicott e do ideal junguiano de contato com o complexo positivo de mãe. O terapeuta precisa estar em contato empático com o paciente de modo a dar-lhe a oportunidade de reparar o antigo dano.

Naturalmente, não se pode mudar o mundo do paciente nem desfazer os infelizes eventos anteriores. Não se pode refazer completamente uma pessoa na terapia. Não podemos reconstruir o período inicial da vida no curso do tratamento. O que podemos fazer é tentar descobrir os elementos de sua influência e possibilitar um tipo diferente de experiência. As origens do problema são secundárias diante do que podemos fazer com as falhas na criação e no desenvolvimento. As questões básicas são: o que é a pessoa agora, como ela chegou até aí e o que posso fazer no aqui e agora para que ela cresça o máximo possível?

Poder-se-ia questionar a preeminência dada ao conceito de transferência/contratransferência no desenvolvimento. Algumas das possíveis questões são:

1. Devemos limitar a transferência/contratransferência a distorções ou projeções que requerem correção ou podemos vê-la como uma elaboração da percepção de um ponto de vista interior?

2. A transferência/contratransferência está no passado ou no presente?
3. Deve-se renunciar à transferência/contratransferência ou ela é parte do processo de individuação e, como tal, parte do ciclo da vida?
4. Será a transferência/contratransferência um fenômeno exclusivamente intrapsíquico ou também um fenômeno exterior e interpessoal?

Jung (1946) responde a essas questões em *The Psychology of the Transference* quando refere a experiência crucial da transferência em toda análise. Ele faz as seguintes ressalvas significativas: "O psicoterapeuta deve familiarizar-se não apenas com a biografia pessoal do paciente, mas também com as suposições mentais e espirituais prevalecentes em seu meio, tanto as passadas quanto as presentes, onde as influências da tradição e da cultura têm papel muitas vezes decisivo" (p. viii). "O fenômeno da transferência é sem dúvida uma das síndromes mais importantes do processo de individuação; sua riqueza de significados vai muito além das simples simpatias e antipatias pessoais. Em virtude de seus símbolos e conteúdos coletivos, ele transcende a personalidade individual e se estende à esfera social" (§ 539).

Eu gostaria de postular que a transferência/contratransferência, com sua base na projeção e introjeção, é um fenômeno universal presente nas experiências do início da vida. Sua importância no tratamento do fronteiriço reside justamente nisso. O tratamento analítico não cria a transferência/contratransferência – simplesmente lhe dá vida, pois seu processo é moldado pela realidade exterior contemporânea juntamente com fenômenos interiores. A vida interpessoal não existe isolada da vida intrapsíquica. Todas as reações transferenciais são reações a eventos contemporâneos e podem ser realistas ou não, adaptativas ou não. A vida, em seu todo, é transferencialmente determinada por fatores inconscientes. Toda interação humana envolve o intrapsíquico. Infelizmente, as palavras *intrapsíquico* e *interpessoal* degeneraram em *slogans* ou modismos, e os defensores de uma atacam os da outra. Mas, como na controvérsia entre natureza e criação, ambas são importantes.

De fato, há três estados de ser: (a) uma realidade psíquica interior que é a experiência pessoal de cada indivíduo, (b) uma realidade exterior e (c) uma área intermédia que junta a experiência do indivíduo e seu ambiente. A realidade interior contém basicamente todas as experiências que vivemos ou podemos potencialmente viver, influenciadas pelos imaturos processos cognitivos da infância e por distorções posteriores da personalidade. Algumas são lembradas diretamente, outras tornam-se inacessíveis à memória e outras ainda moldam a forma como as experiências são processadas. A psique humana é um mundo interior de natureza pessoal que reproduz – de modo em parte realista e em parte altamente distorcido – as relações interiores no mundo exterior.

O espaço da transferência/contratransferência é semelhante à área da ilusão. O que é percebido objetivamente e concebido subjetivamente se passa nele, que é o espaço transicional no meio, nem dentro nem fora, onde recriamos o que originalmente era o ambiente facilitador para o bebê. A característica essencial desse espaço é seu caráter ilusório. Com a devida oportunidade de participar na ilusão da simbiose da terapia, o indivíduo pode renegociar a separação-individuação e rumar para o aprofundamento da individuação.

A incapacidade de formar uma aliança terapêutica pode refletir um prejuízo da capacidade de transferência. Às vezes, o aspecto fronteiriço só se manifesta após um período de tratamento durante o qual o fenômeno da transferência/contratransferência revela a presença de dissociação e negação. Ou percebe-se no paciente uma capacidade de entrar e sair de estados psicóticos ou de usar defesas psicóticas. Concomitantemente, há um medo do inconsciente, de estados de fragmentação e de despersonalização. É frequente os borderlines não terem alcançado o estágio de espelhamento ou idealização das relações. A transferência mostra-nos como a realidade pessoal é construída. Ela não se opõe à realidade, mas faz parte dela, dando-nos a oportunidade de ir ao sintoma ou doença e transformar a *massa confusa* mediante a conexão com o significado simbólico do sintoma.

Com exceção das contribuições de Neumann (1973), Edinger (1972) e M. Fordham (1957), um dos pontos fracos da abordagem junguiana é a falta de uma teoria coesa do desenvolvimento. O processo analítico é em si um processo de desenvolvimento. A aplicação dos dados da observação de bebês e crianças, juntamente com a teoria das relações objetais, ao estudo clínico de adultos contribuiu para nossa compreensão dos estágios do fenômeno da transferência/contratransferência. A abordagem desenvolvimentista do tratamento do paciente fronteiriço permite a avaliação das mudanças na estrutura intrapsíquica e no funcionamento psicodinâmico. Winnicott (1965) afirma ter tido a rara oportunidade de observar bebês ao estudar as relações transferenciais específicas de seus pacientes gravemente perturbados. F. Fordham (1969, p. 3) comentou que "prestando atenção à tenra infância de um paciente, pode-se descobrir que falhas em seu ambiente distorceram seu desenvolvimento posterior e resultaram numa estrutura de ego fraca e na consequente influência demasiada dos arquétipos". Há algo que avaliza a recomendação de que todos os terapeutas deveriam ter alguma experiência no trabalho com bebês e crianças e algum conhecimento do desenvolvimento típico de cada fase. Precisamos incorporar o conhecimento do crescimento e do desenvolvimento infantis para aprofundar nosso conhecimento dos processos de desenvolvimento normal e patológico. Em geral, quanto mais alta a fase de desenvolvimento atingida, maior a probabilidade de as experiências serem expressas por meio de introspecções verbais. Quanto mais baixa a fase de desenvolvimento, maior a probabilidade de encenações que envolvem o terapeuta. As pessoas emocionalmente travadas comunicam-se de forma diferente das pessoas que podem distinguir entre o eu e o outro. O fronteiriço tem dificuldade de simbolização e basicamente permanece num mundo de raciocínio concreto.

Num artigo anterior (Machtiger, 1982), analisei o papel da transferência/contratransferência no processo de cura. A *unio mystica* do espaço transicional permite a união e a fusão da harmoniosa e penetrante confusão que é parte do estado fronteiriço. No esfumar de fronteiras a lacuna é preenchida, permitindo ao analista encarnar figuras parentais anteriores. O campo terapêutico facilita a emergência de uma situação simbiótica que é necessária à liberação das imagens arquetípicas. A emergência da útil *imago* da mãe dá uma nova orientação ao processo. Essas experiências nada têm que ver com a representação de um papel por parte do analista, mas representam uma receptividade autêntica ao paciente. A identificação projetiva cumpre uma função necessária, já que está na origem da transformação psíquica. É a capacidade que o analista tem de finalmente mostrar ao paciente o papel que este lhe atribuiu na transferência – e a gênese dessa atribuição – que traz o potencial para a mudança. O que construímos no trabalho clínico é um mito da gênese, que não é idêntica aos dados do desenvolvimento histórico. O crescimento terapêutico resulta da capacidade do terapeuta de entender e reagir ao paciente de modo apropriado ao desenvolvimento. Em outras palavras, como se escuta e como se responde é mais importante do que o que se faz. O crescimento não depende de interpretações inteligentes, mas da constelação e da mediação pelo analista da imagem do curandeiro ou pai/mãe bom/boa, ou *Self*, e da sua circunscrição no âmbito da transferência/contratransferência. Os borderlines exigem alto grau de envolvimento interpessoal.

Embora cada situação de transferência/contratransferência seja única, certas realidades da situação analítica podem ser usadas para construir a unidade psíquica entre analista e analisando. O *temenos*

– ou matriz facilitadora do amadurecimento – é criado pela sala, pela sessão e pela participação na vida um do outro. Trata-se de uma interação compartilhada. O analista se compromete a sentir pelo paciente, acerca dele e com ele enquanto mantém a necessária separação. Jung (1946) observa que o sucesso ou fracasso do tratamento está estreitamente vinculado à transferência de uma maneira fundamental.

Os pacientes que sofrem da Síndrome de Borderline podem tornar-se hipercríticos em relação ao tratamento e ao terapeuta. Eles estão em constante busca de munição para sua raiva e, em sua necessidade de provocar e manipular, são peritos em descobrir o calcanhar de Aquiles do analista. Há uma necessidade de vivenciar o terapeuta como hostil e controlador; assim o paciente consegue justificar sua amargura e sua paranoia. Ao mesmo tempo em que desconfiam e têm medo do terapeuta, os pacientes Borderline tentam apaziguá-lo. Qualquer deficiência de empatia percebida é motivo de muita queixa e de reações de decepção e ira.

Na literatura acerca das síndromes fronteiriças, reconhece-se que uma das dificuldades no tratamento é a habilidade que têm os pacientes de criar no analista estados confusos. Projetando neste o ódio que sentem de si mesmos, eles podem conseguir paralisá-lo. Já que as transferências podem ser mais caóticas e arcaicas e estão cheias de identificação projetiva, muitos Borderline requerem uma abordagem mais fundada no aqui e agora e, às vezes, uma atitude mais confrontadora.

Nos estágios iniciais da transferência/contratransferência, o terapeuta não é sentido como uma pessoa à parte, mas, sim, como um objeto transicional. O paciente não pode dar início a um novo desenvolvimento enquanto o terapeuta não conseguir de algum modo replicar a forma original de relacionamento simbiótico. A perda ou separação do parceiro de simbiose ainda é a chave nos distúrbios da personalidade borderline. Caso se permita que o processo se desenvolva, ao fim pode ocorrer uma internalização das imagens e verifica-se uma maior diferenciação entre o eu e o objeto. Más percepções e interpretações das relações eu/objeto podem ocorrer e ser exploradas na constância do processo dinâmico da relação analítica. O eu fragmentado do paciente entra em fusão com o terapeuta "Rochedo de Gibraltar"/invencível e toma-lhe emprestado aquilo que não pôde ser obtido na infância. Há alguns pacientes que precisam fazê-lo de modo sub-reptício, ocultando todos os indícios de progresso ou melhora de estado. Isso pode engendrar no analista sentimentos de dúvida, incompetência, impotência e derrota, sentimentos esses muitas vezes correspondentes ao vazio interior do paciente. O tédio do analista pode apontar uma ausência afetiva por parte do paciente.

A transferência/contratransferência não para de mudar no decorrer da terapia. No princípio do tratamento, permite-se que a simbiose se desenvolva, já que as reações transferenciais dos borderlines têm sua origem no estado de desenvolvimento anterior à experiência interpessoal de objetos em sua plenitude. Nesse estado simbiótico da transferência/contratransferência, a interação nessa *participation mystique* casulosa é terapêutica, uma vez que facilita a promoção de afetos e imagens arquetípicas em torno de fantasias, lembranças e imagens inconscientes que podem ser tomadas, diferenciadas e, por fim, integradas numa forma simbólica.

Os dois pacientes que analiso neste ensaio não conseguiram atingir um grau elevado de diferenciação entre o eu e o outro, embora a diferenciação em seus estágios anteriores e mais primitivos tenha sido obtida. Houve uma falha na integração dos aspectos bons e maus da experiência correspondente ao aumento das capacidades perceptivas e cognitivas da criança. Isso resultou numa persistente propensão à desorganização da identidade.

Como é incapaz de situar o outro como psiquicamente independente de suas próprias necessidades e interesses, o fronteiriço tende a esperar dos relacionamentos importantes uma atitude de preocupação maternal constante.

Muitas vezes, as fantasias de fusão na transferência refletem fusões primitivas dos níveis mais profundos da simbiose. Os pacientes mais centrados na realidade julgam esse estado intolerável e igualam a perda da identidade à loucura. Nesse estado, há uma tendência a evitar o interesse pela outra pessoa menosprezando-a.

Nas relações pessoais, o paciente fronteiriço oscila entre um penoso distanciamento e um superenvolvimento assustador. Alguns têm pavor da separação com base em sua excessiva idealização do analista. O consequente excesso de dependência não ameaça sua existência psíquica. O medo de um possível abandono é a ameaça. Na situação de tratamento, a transferência reflete o fracasso na plena diferenciação. O terror da separação é particularmente evidente nos momentos anteriores às férias e feriados. Alguns desses pacientes necessitam de acompanhamento de outro profissional, enquanto outros manifestam sintomas de doenças físicas, descompensam ou partem para a atuação de diversos tipos de comportamentos autodestrutivos, podendo estabelecer relacionamentos perigosos ou abusar de álcool e drogas. Pode haver um grande número de cancelamentos de sessão antes ou depois de um feriado prolongado. Os pacientes que recorrem à negação são mais propensos a esse tipo de reação. Alguns podem, inclusive, chegar a apresentar um comportamento maníaco. No caso de tais pacientes, o fato de sentir a falta do analista ou lamentar a perda é, em geral, um grande avanço. Surge uma percepção de que a separação pode ocorrer sem agressividade, retaliação ou abandono pelo outro. Pode-se renunciar às medidas de controle e permitir ao outro uma existência independente. Isso não leva a uma perda completa do controle, ao caos ou à sujeição ao poder do outro.

A transferência do fronteiriço tem semelhanças com a transferência narcísica, na qual o analista não é sentido como uma pessoa inteira e separada, mas como uma extensão das necessidades do paciente. O paciente necessita dele para manter a autoestima. Há excesso de projeção e distorção na avaliação do mundo exterior. A empatia é baixa, a tolerância à ansiedade, prejudicada e a capacidade de interesse e luto, limitada e empobrecida. Há maior probabilidade de um *abaissement du niveau mental* em situações de estresse.

A terapia dos pacientes aqui discutidos conforma-se ao material descritivo anteriormente apresentado. Havia problemas de limites, questões de identidade sexual e problemas com abuso de drogas em fase inicial. Embora o principal interesse recaísse na transferência/contratransferência, inicialmente os comunicados das expressões relativas ao desenvolvimento e à transferência dos pacientes não foram interpretados. Os problemas que os pacientes tinham com o eu começavam com a tendência à inadaptação ao ambiente. Os confrontos e interpretações prematuros, sendo igualmente inadequados, devem ser evitados enquanto se mantém o paciente na área da ilusão. Certas experiências podem então ser atualizadas, dando ensejo a transformações. A principal tarefa é aprender como agir com o paciente de modo a corrigir ou reverter algumas das experiências iniciais. Jung (1946) acreditava que "o paciente precisa de você a fim de unir a personalidade dissociada em sua unidade, calma e segurança".

A primeira fase do tratamento foi semelhante ao tratamento de qualquer outro distúrbio grave de personalidade. O objetivo principal era criar um ambiente empático no qual pudesse crescer a confiança e ser mostrado o afeto. Com a replicação da simbiose, a diferenciação de afetos como a raiva e a inveja pôde emergir. A tarefa do analista foi mediar entre os opostos e impedir que o paciente viesse abaixo. Durante essa fase é comum o comportamento regressivo. Episódios de confusão, fragmentação e inundação emocional muitas vezes anunciam novos níveis de integração. O conflito baseava-se na renúncia à parceria simbiótica ou estado anterior em favor de um estado mais diferenciado. Esse processo de reorganização pôde então levar o paciente adiante.

Histórico de caso: o Sr. C

O Sr. C, um homem de 34 anos no início de uma carreira científica, começou tratamento duas vezes por semana logo após acabar um doutorado e mudar-se da cidade em que vivia a família a que pertencia. Exteriormente, C parecia razoavelmente bem-integrado. Havia ido bem academica, profissional e, ao que indicavam as aparências, socialmente. Sob a superfície, porém, havia um leque restrito de ideias absolutamente fixas que pertenciam a um nível bastante inicial de desenvolvimento. C era um homem que temia e odiava a própria imaturidade e fraqueza diante da vida diária em comparação com outras pessoas. O casamento havia sido uma fonte de conflitos desde o início e envolvera problemas sexuais e episódios de agressão física contra a mulher. Esta, na tentativa de escapar do casamento de dez anos, aceitou um emprego em outra cidade.

Havia também problemas de trabalho com colegas e a sensação de que o novo emprego o assoberbaria. C se descrevia como à beira da exaustão, bebendo demais, usando drogas e sentindo-se em julgamento no ambiente de trabalho, crucificado pelos superiores. Ideação suicida e preocupações hipocondríacas estavam presentes. A débil integração psicossomática o expunha a doenças psicossomáticas. C insistia em que as doenças ou eram inteiramente somáticas ou inteiramente psicogênicas. Psique e soma tinham de ser separados. Nos primórdios de sua vida, houve uma pronunciada falta da intimidade corporal que teria enriquecido a construção da unidade psicossomática. A preocupação com a adequação sexual o levou à supercompensação no plano do empenho acadêmico e intelectual, obtida mediante o engajamento num complexo de mártir. O conceito adleriano de inferioridade orgânica representa uma boa descrição de seu *modus operandi*.

Em nosso primeiro encontro, fui informada de que C era um aristotélico que não gostava de examinar motivos nem entrar em lero-leros psicológicos. A função religiosa estava reprimida e ele era ateu. Após contar um sonho inicial em que tentava cuidar de um jovem com um furo na cabeça, expressou o receio de que eu fosse como a renda, frágil demais e necessitada de sua proteção ou que eu me deixasse levar por suas lorotas.

Quando estávamos logo no início da terapia, eu sentia como se ele sempre tivesse vivido a um passo da explosão da violência física. Havia um reservatório virtual de raiva reprimida e suprimida. As sessões eram pontuadas por explosões abusivas, raivosas. Nas primeiras vezes em que sua ira irrompeu numa sessão, ele ficou muito aflito. Após a primeira dessas ocasiões, ele me deu um buquê de flores, dizendo sentir-se tolo e constrangido, apesar de saber não ter necessidade de pedir-me desculpas. Depois do segundo episódio, ele escreveu um bilhete desculpando-se, não tanto como um ato de retratação, mas, sim, como uma garantia de evitar a rejeição. Algumas dessas explosões pareciam breves experiências paranoides. Esses miniepisódios psicóticos tinham pouca duração e continuaram a surgir nos momentos de maior ansiedade e estresse.

Nas primeiras sessões, não havia outra coisa senão consideração pela mãe. À medida que as coisas foram progredindo, ele mencionou rapidamente que ela havia sido hospitalizada por nove meses após o parto. Ele achava que seu nascimento a havia prejudicado. A mãe voltou a trabalhar na biblioteca da escola local antes que ele completasse 3 anos de idade. Apesar de trabalhar fora, ela tinha ideias preestabelecidas acerca dos papéis do homem e da mulher no lar. Os homens não deviam participar das tarefas domésticas. O pai voltava do trabalho e bebia até a semi-inconsciência enquanto a mãe preparava o jantar. O pai foi descrito como irritadiço, grosseiro e frequentemente embriagado. De vez em quando cambaleava à porta, fedendo a bebida, e acabava caindo no chão da sala de estar. Várias vezes perdera o equilíbrio e, completamente inconsciente, urinara no chão. Era C quem limpava o pai e o arrastava à cama. De manhã, era como se nada tivesse acontecido. No início da terapia, ele não conseguia lembrar-se de haver sentido nada nem da reação da mãe. Foi apenas mais tarde que ele conseguiu sentir a dor e o pavor e chorar ao falar do início de sua vida.

Ele descreveu a mãe como uma mulher calada, doce e despretensiosa, que desposava o mito de que as mulheres não têm força para enfrentar os rigores da vida. Ao mesmo tempo, ela era determinada, resistente e financeiramente muito mais sagaz que o marido. C a via como a abelha rainha, que prescinde do macho após a fecundação. Logo no início da terapia, ele sonhou com um homem que demolia a parede traseira de um prédio para resgatar a abelha rainha e colocá-la num nicho na frente da casa em que vivera na infância. Em outro sonho, ele protegia essa casa de um tigre de mais de quatro metros que espreitava do lado de fora. Ele tinha apenas uma pequena pistola, inútil contra o tigre. Ao sonho do tigre seguiu-se o de um cachorrinho que devorava o rabo de um grande gato. As associações diziam respeito à antiga lembrança de haver acreditado que a mãe possuía um falo.

Havia a memória de um incidente aos 8 anos de idade em que sentira que os pais não tinham contato com os sentimentos do filho. Depois de machucar o pé durante uma brincadeira na rua, ele entrou em casa deixando um rastro de sangue. Foi repreendido e punido por fazer confusão e bagunça. O sangue teve de ser limpo antes que se buscasse cuidado médico.

A relação com a irmã três anos mais velha era altamente ambivalente. Depois que começaram a experimentar brincadeiras sexuais, ele usava a cama dela para masturbar-se. Tinha ciúmes, pois, a seu ver, era ela a filha mais talentosa e inteligente. Havia muitos anos, comprara um casal de gatinhos da mesma ninhada e os deixara cruzar antes de castrá-los. Esse material pavimentou o caminho para a exploração de sua sexualidade. Ele sonhava com encontros homossexuais disfarçados atrás de uma fachada de heterossexualidade e com a transformação da irmã num homem de face demoníaca enquanto estava na cama com ele. Em outro sonho, um homem nadava na superfície enquanto uma mulher se movia como um boto por baixo dele.

A constelação arquetípica era a de alguém preso nas garras da homossexualidade. C era como um dos filhos de Gaia: uma criança aprisionada na terra. Como sua masculinidade estava arraigada na matriz materna, ele não conseguia utilizar o ego de forma genuinamente positiva. Em seu impulso regressivo em direção ao inconsciente, C não conseguia contato com as qualidades masculinas que resultariam na adoção de um comportamento mais assertivo. Enquanto isso não foi possível, ele teve de buscá-lo nos outros e incorporá-lo de forma mágica.

À medida que a terapia continuava, ele se queixava de sentir-se cada vez mais isolado, só e desesperançado, além de intolerante com os outros. Para sentir-se superior, desprezava os demais. Logo ficou clara a presença crônica de raiva, privação e decepção diante do que era sentido como falta de interesse e atenção de minha parte. A impossibilidade de atendê-lo era vivida não só como contrária a ele, mas também por causa dele. Havia ainda dificuldades no controle dos impulsos.

Quando os temas homossexuais e transexuais vieram à tona, ele teve vertigens, tremores e náusea. Durante o dia e em viagens a trabalho, tinha pavor de que os colegas do sexo masculino pudessem excitá-lo sexualmente. Ele percebia demonstrações homossexuais óbvias, mas inconscientes, dirigidas a ele por parte dos colegas. Além de lidar com suas tendências homossexuais pela identificação projetiva, C recorria periodicamente à masturbação acompanhada de temas de fusão e atividade sadomasoquista. As viagens de trabalho eram particularmente traumáticas, em especial quando tinha de dividir um quarto com um colega. Havia inúmeros ataques de pânico e descompensações. Nesses momentos, ele pedia aos colegas que o abraçassem e reconfortassem. O desejo devia ser acalentado, cuidado e alimentado. O necessário não era especificamente uma pessoa, mas um estado de ser, de resguardo e proteção.

A inquietação, a incapacidade de relaxar e a agitação promoviam uma eterna sensação de tensão. A aflição vinha à tona quando não havia quem lhe oferecesse apoio. Registravam-se medos de separação, estados de apego e pavor de ser atacado e possuído. Como a sobrevivência estava estreitamente vinculada e dependente de outra pessoa, a ameaça da aniquilação sempre se fazia presente. Ao fim, minha tarefa foi ajudá-lo a juntar por reconstrução genética a miscelânea de pedaços dos primórdios de sua vida e relacioná-los a seus sentimentos por mim. Era como se ouvíssemos isso pela primeira vez. Essa parte do trabalho o ajudou a distinguir a mãe real da mãe arquetípica. Só depois que eu me havia tornado um novo objeto de identificação, por representar a encarnação do arquétipo da mãe e constelar uma imagem parental alternativa no inconsciente, é que C pôde tolerar a crítica da mãe simbiótica. Antes, quando ele me dotava do poder numinoso da Grande Mãe, havia um forte impulso no sentido de permanecer no mundo da fantasia. Quando o ego e a consciência estavam mais desenvolvidos, eu me tornei a mãe má, contra a qual ele podia soltar corajosamente todos os sentimentos negativos enquanto lutava por separar a realidade objetiva da mãe pessoal do arquétipo da Grande Mãe. Às vezes, eu era a mãe crítica que jamais se satisfazia. Outras vezes, era uma espécie de Circe, que magicamente sabia o que se passava dentro dele e queria enfeitiçá-lo e cativá-lo.

C me via como possuidora de duas personalidades. A predominante era mesquinha e calculista. A razão para eu haver-me tornado uma analista era que essa profissão me dava a chance de regalar-me até a saciedade total, com todas as minhas fantasias sádicas. Eu sabia muito bem como frustrá-lo identificando precisamente o que ele queria de mim e então, negando-me a aceder a seus desejos, podia regozijar-me torturando-o. A manipulação também era um de meus pontos fortes. Por vezes, eu comentava que essas qualidades lembravam algumas das suas, e exagerava os comentários descrevendo nossas interações. Ele reagia mostrando-se reflexivo. Em outras ocasiões, eu não era razoável nem sensata ao confrontá-lo. Em raras oportunidades, eu era vista como amável e atenciosa. O problema era que o que ele percebia de minhas personalidades alternativas fazia de mim uma pessoa totalmente imprevisível.

Um dos temas mais proeminentes e presentes na transferência/contratransferência era a sua tentativa de induzir-me a aceder a seu padrão sadomasoquista de vida. Ele não podia pedir ajuda abertamente porque não era capaz de tolerar a ideia de uma possível recusa sem consumir-se em fantasias hostis ou medos de abandono. Esse aspecto da transferência tinha sua origem na experiência anterior de rejeição parental. C havia aprendido que era inútil alimentar expectativas em relação aos outros. Nesse padrão masoquista, a sensação na transferência era a de que o terapeuta também o rejeitaria. Minha contratransferência era a de estar numa posição muito tênue, com sentimentos de frustração e impotência. Às vezes, minha incapacidade de compreender a dinâmica do que poderia estar ocorrendo me deixava desanimada e deprimida. Outras vezes, ele me provocava para que eu tivesse uma reação explosiva. Quando sentia muita raiva, ele me dizia que sua faceta de "Jack, o estripador" estava vindo à tona. Esta era descrita como exaltada e profunda, como água que quebra contra as rochas.

Em várias ocasiões, ele me acusou de não reagir à sua necessidade de ajuda. Essa necessidade veio à tona sob a forma de queixas somáticas ou solicitações para que o ajudasse a trazer a mulher de volta. Eu era mãe indiferente a seu sofrimento e, mesmo que eu o percebesse, era incompetente demais para fazer qualquer coisa.

Na transferência, partimos do meu estado impessoal e desumano, que me tornava uma profissional técnica e fria que ele considerava praticamente inexistente, para a minha característica de sereia sedutora. Havia muita insistência para que eu me encontrasse com ele fora das sessões. Se eu me recusasse, ele afirmava estar fadado ao celibato. Em meio a essas súplicas, ele dizia não poder envolver-se com outra mulher até que "tivesse acabado" comigo. Quando expressava sentimentos de carinho ou erotismo em relação a mim, parecia constrangido e envergonhado. Eu expressava minha conformidade à sua dificuldade e deixava que ele continuasse. Quando ele desviava o olhar, eu comentava que ele não estava à vontade, mas não recorria a interpretações prematuras que fizessem os sentimentos se perderem na análise. Nessa época, ele sonhou com uns homens que tentavam conter o fluxo de lava ardente no porão. A lava começava a emergir pelo orifício, e ele tentava estancar seu fluxo jogando ali tudo o que conseguia pegar.

A raiva por eu nem sempre estar disponível quando ele queria, bem como por eu não manter com ele um relacionamento sexual, aplacou-se um pouco depois que ele viu uma imagem em que percorria uma pequena ponte de madeira. "Estou correndo em direção a uma mulher vestida de branco. Ela tem uma cabeleira negra que lhe desce pelos ombros. Seus braços estão levemente abertos para mim. Ela me parece inquietantemente familiar, mas não sei a quem atribuir a semelhança. Certamente, a ninguém dentre as pessoas mais óbvias. Só vejo isso, mas me parece de algum modo cativante." No fim, ele descobriu que a mulher lembrava sua mãe quando jovem. Ao chorar pelo que não tivera na infância, C percebeu que o que desejava não era a intimidade física comigo no aqui e agora, mas a intimidade do bebê com o corpo da mãe.

O bebê enraivecido ocupou grande parte da terapia. Precisávamos colocar esse bebê traumatizado em contato com C. Ele resistiu a muitos sofrimentos psíquicos. O fato de eu ser um indivíduo à parte, com desejos e necessidades que não coincidiam com os seus, provocava-lhe uma dor excruciante. Ele não se sentiu digno do amor até que conseguiu reconhecer e integrar a raiva. O terror e a dor da ira precisavam ser ouvidos.

Era difícil permanecer em contratransferência sintônica. As reações positivas eram vistas como gratificações; as negativas, eram sinal de meu desejo que ele sofresse. Suas reações eram aquelas da criança pequena cuja energia ou sua ausência se relacionam a experiências de alimentação e percepção do próprio corpo.

C se queixava de minhas deficiências como terapeuta, da desigualdade da situação de tratamento, da diminuição do paciente e do fato de a terapia não estar indo a lugar algum. Minha reação a isso era fazer perguntas e ouvir. O Sr. C externalizava suas dificuldades e decepções e me transformava no eu da criança carente. Então ele podia ser o/a pai/mãe crítico/a e sádico/a e me atacar. Para mim, era crucial sobreviver com saúde aos nocivos efeitos psíquicos. Dessa forma, C foi mais capaz de aceitar a sua criança carente. Quando me sentia dominar por ela, eu resistia acusando, atacando ou aplacando C. Isso me deixava cansada e deprimida e, às vezes, até mesmo distante. Quando voltava a sofrer, era melhor que não sentir nada. Nessas ocasiões, C dizia que eu não servia para nada.

Às vezes, havia na transferência uma raiva por eu subestimar sua capacidade. Principalmente quando estava imerso em ideias de grandeza, meu papel era ser uma espécie de 3-em-1 – espelho, tônico estimulante e plateia atenta e admiradora – que estava ali só para incentivá-lo a façanhas ainda mais grandiosas. Se não fizesse isso, eu era a mãe que queria ver nele um eterno incapaz. Quando o fazia, ele queixava-se de eu estar pressionando-o demais. Então era classificada como o tipo de terapeuta que precisa diminuir ou outros para sentir-se mais importante. Qualquer coisa que eu dissesse era negada, ridicularizada ou destruída. C adorava sentir-se crucificado no papel da vítima sofredora. A pressão para socorrê-lo era implacável; afinal, eu era responsável por seu bem-estar. Após um período de imersão nesse tema, ele sonhou que estava sentado ao volante de um carro e recusava-se a usar o mapa que a mãe possuía. A esse, seguiu-se outro sonho em que a mãe o abandonava. Eu estava lá, dizendo à mãe que ela não entendia como o filho realmente se sentia. Nas sessões, ele demonstrava raiva por eu não deixar que seu lado funcional emergisse. Ele não conseguia fazer nada porque eu não tinha expectativas.

Na transferência, ele estava lutando com duas imagens do eu: uma onipotente e grandiosa, que era equiparada ao ser funcional; e uma desprezível, que não era funcional. Quando surgia alguma pressão por dependência, C afirmava estar desmoronando e precisar de hospitalização. A ideia de que não havia ninguém para oferecer-lhe apoio o deixava em pânico e ele achava que eu deveria cuidar dele. Sonhou que não conseguiria ser promovido no trabalho se não terminasse o curso maternal.

Houve uma mudança na transferência/contratransferência: de odiar a si mesmo por não conseguir realizar-se, ele passou a odiar-me por detê-lo. Ironicamente, essa mudança promoveu o ímpeto para o crescimento. A questão do que é terapeuticamente útil é extremamente importante, complexa e controversa. Às vezes, eu tinha vontade de colocar C em confronto com a natureza contraditória de suas reações transferenciais. Na única vez em que isso ocorreu, acabamos entrando numa confusa discussão. Quando tentei esclarecer minha formulação, terminei esquecendo qual era originalmente o meu argumento.

Se eu falasse sobre suas dificuldades, ele se sentia criticado. Tudo o que era dito servia para lembrar-lhe a superioridade de meu poder criativo, que precisava então ser anulado. O que mais parecia ajudá-lo era minha aceitação de tudo que ele tinha a dizer a meu respeito, principalmente as coisas negativas. Fazendo isso, o cenário analítico passava a representar um local seguro, ou *temenos*, tanto para os sentimentos positivos quanto para os negativos. A imagem de mim como boa e má, forte e fraca, começou a formar-se.

Outra área importante do trabalho foi a aceitação gradual de minha atitude de não tomar decisões por ele nem pressioná-lo a melhorar. C queixava-se muito de eu ser uma criatura fria, distante e insensível. Afinal ele percebeu que essa frieza significava que eu não iria controlá-lo, e isso o levou a temer menos a perda de identidade e autonomia. No fim, ele conscientizou-se de que sua preocupação em não perder o poder derivava de seu desejo de tomá-lo de outros. C apercebeu-se melhor do lado infantil que lhe solapava o adulto, mantendo-o preso ao arquétipo do *puer aeternus*.

Histórico de caso: a Sra. S

A Sra. S, mulher divorciada de 26 anos, iniciou a psicoterapia com sessões quatro vezes por semana depois de ter sido enviada pela clínica psiquiátrica de sua cidade. Sua doença manifestou-se na adolescência; a primeira internação havia acontecido aos 16 anos, embora tivesse havido diversas outras hospitalizações por doença na tenra infância. Ela era a mais jovem de uma família de seis, havendo duas crianças morrido antes que ela nascesse. A constelação familiar era bem complexa. A mãe da paciente, fruto de uma relação fortuita, havia morado em lares adotivos por 14 anos. Então foi morar com a mãe e o companheiro que com esta convivia numa relação de *ménage à trois*. Esse homem perfilhou S e seus cinco irmãos. Quando S tinha 3 anos e meio, seu pai morreu, aos 64 anos, de câncer de laringe. S o encontrou morto no chão do sanitário.

S parecia mais jovem do que era e tinha uma aura de fragilidade em torno de si. Em nossas primeiras sessões, ela negou ter quaisquer problemas de maior vulto, passados ou presentes, e descreveu-se como sendo excessivamente distante e incapaz de se aproximar das pessoas e estabelecer relacionamentos, mesmo com "amigos". Havia a presença constante de sentimentos de depressão e vazio, junto com uma impressão de não ser real.

A transferência inicial foi negativa. Na noite anterior ao nosso primeiro encontro, ela sonhou que tinha ido consultar um terapeuta muito severo que a fazia sentir-se presa. Essa sensação persistiu durante todo o dia. A seu ver, os terapeutas só queriam dinheiro ou resolver seus próprios problemas, entre os quais estar em posição de controle sobre os outros. Não queria saber de junguianos malucos que estivessem mais confusos que ela própria. Receava que, caso se envolvesse comigo, eu a dominasse, fazendo-a deixar de existir. Via a análise como lavagem cerebral e, se não resistisse a minhas tentativas de aplicar-lhe essa lavagem, eu assumiria o controle. Achava anormal confiar nas pessoas e pediu-me confirmação em relação a essa visão da vida. Não gostava de mim e trataria de assegurar-se de que não precisava de mim. Sua motivação para continuar a ver-me era o fato de não entender a intensidade da raiva que sentia de mim.

S tinha muito talento para retratar com precisão seu estado interior, e os problemas típicos do fronteiriço podem ser muito bem ilustrados pelo conteúdo do seu material. Nos primeiros meses, ela sonegou-me informações acerca de sua vida cotidiana, assim como de sua vida pregressa; mas, quando começou a confiar em mim, elas vieram aos montes. Havia uma necessidade de dissociar a vida exterior da vida de fantasia. A mensagem transmitida era: "Fique longe de mim". Havia uma interessante mistura de arrogância e inferioridade e um pequeno traço de necessidade de defesa contra qualquer fornecedor exterior de autoestima e dependência. S descrevia-se como possuidora de dois lados opostos: um, que chamava de seu lado irlandês, era megalomaníaco e achava-se capaz de tudo, inclusive de falar com as pessoas; o outro, seu lado inferior, era o receptáculo do desprezo que sentia por sua fraqueza, impotência e dependência.

Durante parte do tempo, o quadro de S era típico da depressão – queixava-se de insônia, anorexia, esquivez diante de contatos sociais, bombardeio de autoacusações, principalmente com respeito a irritabilidade e hostilidade para com os filhos. No restante do tempo, ela parecia desligada, confusa e apática, demonstrando sinais de despersonalização. Ela descrevia a si mesma como morta, fora daqui, encapsulada numa bolha, coberta de algodão ou separada de mim por uma folha de vidro. Durante esses distúrbios de sensação, autopercepção e comunicação, S muitas vezes perguntava se eu a estava vendo. Às vezes eu lhe segurava a mão. Era importante que eu estivesse a seu lado e compartilhasse com ela de seu estado de terror.

Um problema persistente era a sua incapacidade de lidar com a inveja e os sentimentos destrutivos dirigidos a mim. Quando era tragada pela ansiedade e pela culpa por esses sentimentos, o contato comigo era difícil para ela. Ao mesmo tempo, havia a incapacidade de tolerar a sensação de estar separada de mim. Ela me isolava, depois sentia-se isolada e entrava em pânico. Periodicamente, precisava assegurar-se de que seus sentimentos não me haviam feito mal e perguntava-me: "Tudo bem? Você está aí?".

No nosso relacionamento, S estava tentando atingir sua união com o objeto idealizado. Ela precisava evitar a sensação de separação enquanto usava nossa relação para resolver os problemas provenientes da infância. Essa relação representava a fusão entre imagens do eu e do objeto baseadas em mecanismos primitivos de projeção e introjeção. Meu papel era ser a "mãe boa o bastante" de Winnicott e permitir-lhe comunicar sua raiva da mãe e sua desolação com a morte do pai e com a retirada deliberada da avó da família. Quando nossa relação se profundou e estabeleceu-se uma maior confiança, S começou a dar-me acesso a seu mundo interior, que era habitado por vozes. Passamos dois anos com sessões de quatro a sete vezes por semana, até que ela dissesse que vivia em dois mundos e não pertencia ao mundo real. Havia alucinações auditivas e visuais. Entre as pessoas de rostos indistintos havia um velho sábio e assustador, uma espécie de ogro, uma criança choramingas e um homem negro. Ela se referia às figuras como "A Máfia" e sabia desde a infância que lhes pertencia e que elas acabariam por reavê-la. Neste ínterim, lutava para não se deixar sucumbir. O fim do choque entre as duas realidades era situado em sua própria aniquilação. Quanto mais confiava em mim, mais destacadas tornavam-se as vozes. Compartilhamos a luta contra as vozes que diziam ser a terapia inútil. Periodicamente, ela entrava numa fase em que me acusava de ser a mais esperta das vigaristas, a chefe dessa Máfia, sua maior inimiga.

Ela adquiriu o hábito de esconder-se debaixo de uma manta. Um dia, quando eu disse que ela deveria ser muito só, uma mão surgiu por fora da coberta. Eu a segurei e ela começou a soluçar. Antes de sair, perguntou-me se podia levar a manta consigo. Transformou-a em seu objeto transicional; contou-me que, quando criança, tinha uma manta que adorava. A mãe a havia tomado e lavado; S tentara pegar a manta molhada de volta, mas fora em vão: jamais voltara a vê-la.

Custou-lhe muito aceitar que a Máfia fosse constituída de partes dissociadas de si mesma; porém, à medida que conseguia admitir a própria raiva, o poder das vozes diminuía.

Houve uma hospitalização no período da terapia. Antes da admissão, ela teve uma série de sonhos que giravam em torno de hospitais, o que contradizia sua atitude consciente de negar a doença. Também havia sonhos com água brotando do chão da casa, bebês hidrocéfalos, edifícios bombardeados, colisão de aviões e crianças que esfregavam fezes sobre o próprio corpo. Logo após a internação, ela teve dois sonhos representativos de seu estado psíquico. No primeiro, era uma canoa e via uma onda gigantesca aproximar-se. Era 16 de agosto, dia do bombardeio de Hiroshima, e ela não conseguia evitá-la. Sabia que em doenças radiativas a pele se desprende e que seria queimada viva. No segundo, estava num charco infestado de crocodilos. Era noite. Apavorada, via uma escada apoiada numa árvore, mas não tinha certeza de conseguir chegar até lá.

Embora parecesse uma regressão alarmante, a internação foi mais *reculer pour mieux sauter*, ou o que Jung (1946) descreve como acúmulo e integração de forças que se desenvolverão para estabelecer uma nova ordem. S foi tragada pela emergência de fortes sentimentos infantis e raivosos. Ela projetou esse bebê em mim e vivenciou um renascimento psicológico identificando-se com ele. Minha presença fornecia-lhe a contenção e a continuidade de que precisava.

Depois da hospitalização, S conseguiu mobilizar alguns sentimentos positivos em relação à mãe. Duas ideias dominavam: ou bem "venha aqui" ou bem "vá embora". Isso era exatamente o que eu havia vivido na transferência/contratransferência. Ela expressou muita raiva do pai por este formar uma família no fim da vida e logo depois morrer. Havia uma maior capacidade de tolerar o sofrimento e o ressentimento com relação às necessidades não atendidas na infância. Houve muitas sessões em que precisei basear-me na linguagem corporal, em gestos e ações como material analítico. Nas ocasiões em que S se sentia perseguida por mim, dizia que, como eu já sabia o que ela estava pensando, não precisava verbalizar seus pensamentos. Outras vezes, quando o raciocínio se inibia, ela entrava em pânico diante da ideia de sentir-se desligada e isolada de mim. Havia uma necessidade constante de atenção quanto aos eventos que poderiam precipitar os estados regressivos e confusos e, nos momentos adequados, de utilizar detalhadas interpretações da transferência para facilitar o confronto dos conteúdos psíquicos interiores expressos nas projeções.

O grande tema era a necessidade que S tinha de me fazer algum mal e destruir a nossa relação e a terapia. Dessa forma, ela podia corroborar o ódio que nutria contra si mesma e a impressão de ser má e de não merecer o amor. Ao mesmo tempo, isso lhe permitia triunfar sobre mim. O tema manifestava-se no medo que tinha de que uma de nós morresse ou cometesse suicídio.

S era perita na manipulação e esforçava-se de todas as maneiras para fazer-me sentir culpada, deprimida, inquieta, farta ou responsável pelo seu bem-estar. Às vezes era extremamente difícil distinguir sua manipulação histérica dos sintomas de aflição e profunda perturbação.

Seu fraco contato com a realidade levou-me a ser mais aberta com relação aos meus sentimentos. Isso a ajudou a separar seus sentimentos dos meus. O estilo de nossa relação e da terapia variava conforme o estado de espírito da paciente. Percebi que tinha de ser muito flexível na abordagem e de determinar qual era a capacidade de tolerância de S à ansiedade num determinado momento. Houve ocasiões em que precisei entrar e sair de seus episódios psicóticos a fim de compreender o que estava acontecendo. Juntas tínhamos de manter o delicado equilíbrio da fluida relação entre seus mundos interno e externo contida no conceito junguiano de *abaissement*.

Resumo

À medida que a terapia de ambos os pacientes evoluía, mudanças do nível fronteiriço para um nível superior de funcionamento ocorreram ao longo das seguintes dimensões inter-relacionadas.

Houve maior coesão nas representações do eu e do objeto, com a saída do modo narcísico para um modo mais interpessoal de relacionamento. Verificou-se aumento da capacidade de autorreflexão e contenção de conflito sem atuação. A interação com as pessoas tornou-se menos fragmentária e já não se enquadrava no tipo satisfação de necessidades com objeto parcial, responsável por dificuldades óbvias no mundo mais adulto. Registrou-se menor projeção maciça de conteúdos inconscientes e um concorrente incremento da capacidade de assumir responsabilidade pelos conteúdos da psique. Esses pacientes deixaram de vivenciar-se como covardes, eternamente sujeitos às pressões alheias, e passaram a lutar com mais sucesso pelas coisas a que julgavam ter direito. Por um período, eles tiveram receio das consequências de seu sucesso e competência.

Houve progressivas oscilações de desenvolvimento entre os polos da fusão e do distanciamento no eixo ego-*Self*. Eles relataram o estabelecimento de relacionamentos com menor desejo e experiência da fusão e menor defesa contra ela. Consciente e deliberadamente, eles tentaram limitar a frequência de contato, ou a velocidade na qual poderiam envolver-se, com pessoas e atividades. Ao mesmo tempo, registrou-se uma maior necessidade dos outros. C costumava dizer: "Não preciso de ninguém. Posso ficar só pelo tempo que quiser. Tenho coisas que me satisfazem". Por fim, ele percebeu que necessitava das pessoas e que não se satisfaria apenas evocando imagens mentais.

Outra pedra de toque no tratamento foi a capacidade de compartilhar detalhes acerca das decisões e problemas do dia a dia. Inicialmente, devido à necessidade de fusão, compartilhar esses problemas comparava-se a perder sua posse, o que significava que eu poderia reivindicar os créditos por eles.

A capacidade de autorreflexão se fez anunciar por meio de reações profundamente depressivas diante da compreensão de que eram os desejos mais profundos que impossibilitavam manter algum relacionamento válido e levavam a uma grande solidão. Era o desejo de fusão que levava ao retraimento nos relacionamentos. A reação depressiva correspondia ao que Balint (1968) descreveu como sendo a consciência que o paciente tem de sua falta principal – a percepção de que as dificuldades decorrem de algo errado nele próprio. Há uma necessidade de chorar o que se perdeu e jamais ocorrerá. É a interiorização da simbiose positiva na transferência/contratransferência que permite que essa reação tenha lugar. Esses episódios depressivos devem ser aceitos sem interferências. Os antigos desejos não podem ser satisfeitos; as velhas formas de agir não funcionam. Essa aceitação pode resultar na mudança para um modo de funcionamento mais adulto. Para liberar-se da transferência, os pacientes precisam entender que já não precisam da gratificação que antes desejavam e que devem abandonar o desejo de retificar a antiga situação ou evento traumático. Entre os padrões de tratamento predominantes na transferência/contratransferência estão a mãe boa todo-poderosa da tenra infância, a mãe com quem se desejava entrar em fusão, a mãe da fase seguinte da infância, controladora e intrusa, e a mãe hostil que os abandonou prematuramente. Às vezes, uma imagem de pai fortemente idealizada se constelava. Outras vezes, surgia uma imagem fundida de mãe-pai. Havia o desejo de submissão a todas essas fortes constelações, mas este poderia encontrar moderação no medo. Verificavam-se solicitações de aconselhamento e orientação direta. Solicitava-se que o analista fosse mais firme, mais confrontador, mais exigente e que estabelecesse limites.

Havia também uma transferência pela identificação projetiva com um lado extremamente desprezível, inútil, incorrigível e incapaz. A identificação projetiva contrária, com a capacidade de esperança e melhora, também se fazia notar. Todas essas transferências eram acompanhadas de afeto intenso.

A reação contratransferencial mais evidente e profunda a tudo isso era a que respondia à transferência do eu desprezado. Quando esses sentimentos do paciente cediam e havia menor necessidade de que eu carregasse essas projeções, a sensação de alívio era tremenda. Cheguei mais perto da plenitude como pessoa graças a esses pacientes, e em determinados momentos eles tinham maior consciência da ajuda que lhes prestei. Hoje são fortes o bastante para sustentar-se a partir de seus próprios recursos interiores.

Referências

BALINT, M. 1968. *The Basic Fault*. Londres: Tavistock.

EDINGER, E. 1972. *Ego and Archetype*. Nova York: G. P. Putnam's Sons. [*Ego e Arquétipo*. 2. ed. São Paulo: Cultrix, 2020.]

FORDHAM, F. 1969. "Some views on individuation". *Journal of Analytical Psychology* 14/1:1-12.

FORDHAM, M. 1957. "Origins of the ego in childhood". In: *New Developments in Analytical Psychology*, pp. 104-30. Londres: Routledge and Kegan Paul.

FRANZ, M. L. von. 1970. *Puer Aeternus*. Nova York: Spring Publications.

GRINKER, R. R. e DRY, R. D. *The Borderline Syndrome*. Nova York: Basic Books.

HARDING, E. M. 1965. *The Parental Image*. Nova York: G. P. Putnam's Sons.

JUNG, C. G. 1912. *The Battle for Deliverance from the Mother*. In: *Collected Works*, 5:274-305. Princeton: Princeton University Press, 1956.

JUNG, C. G. 1946. *The Psychology of the Transference*. In: *Collected Works*, 16:163-323. Princeton: Princeton University Press, 1966.

JUNG, C. G. 1953. *Psychology and Alchemy*. In: *Collected Works*, vol. 12. Princeton: Princeton University Press, 1968.

JUNG, C. G. 1955. *Mysterium Coniunctionis*. In: *Collected Works*, vol. 14. Princeton: Princeton University Press, 1970.

KHAN, M. 1974. *The Privacy of the Self*. Londres: Hogarth.

KNIGHT, R. P. 1954. "Borderline states". In: *Psychoanalysis, Psychiatry and Psychology*, pp. 97-109, R. P. Knight and C. R. Friedman, orgs. Nova York: International Universities Press.

KOHUT, H. 1971. *Analysis of the Self*. Nova York: International Universities Press.

LAMBERT, K. 1981. *Analysis, Repair and Individuation*. Londres: Academic Press.

MACHTIGER, H. G. 1982. Countertransference/transference. In: *Jungian Analysis*, M. Stein, org., pp. 86-110. La Salle, Ill., e Londres: Open Court.

NEUMANN, E. 1973. *The Child*. Nova York: G. P. Putnam's Sons.

WINNICOTT, D. W. 1965. *The Maturational Process and the Facilitating Environment*. Londres: Hogarth.

Tipos Psicológicos em Transferência/Contratransferência e a Interação Terapêutica

John Beebe*

Um modelo de tipos psicológicos

A teoria de tipos psicológicos falhou, creio eu, na realização de seu potencial clínico porque vem sendo em geral mal utilizada. Muitos terapeutas junguianos se deixam atrair a princípio pela teoria, com sua sedutora polaridade extroversão/introversão e a promessa de plenitude dentro da elegante quaternidade de funções: sensação, pensamento, sentimento e intuição. Esses terapeutas são levados a acreditar que podem entender seus pacientes bastando para tal rotulá-los corretamente.

---

* **John Beebe**, M. D., é membro do C. G. Jung Institute de San Francisco, onde é editor de *The San Francisco Jung Institute Library Journal*. Diplomado em medicina pela Harvard College e pela University of Chicago Medical School, fez residência em psiquiatria no Stanford University Medical Center e treinamento analítico no C. G. Jung Institute de San Francisco. Organizador de *Psychiatric Treatment: Crisis, Clinic and Consultation* (1975) e *Money, Food, Drink, Fashion and Analytic Training: Depth Dimensions of Physical Existence* (1983), tem consultório particular em San Francisco.
© 1984 Chiron Publications

Em princípio, esse método parece funcionar, mas, ao final, leva a contradições embaraçosas. Por exemplo, um paciente diagnosticado por seu terapeuta como um intuitivo introvertido (porque aparentemente não fazia muita coisa e relatava com minúcias sonhos repletos de imagens) pode revelar-se, na realidade, como pertencente ao tipo sensação introvertida, cuja sensação extrovertida é fraca não porque é sua função inferior, mas, sim, porque é a função sombra da sensação superior, introvertida. Em retrospecto, o terapeuta percebe que foi induzido a diagnosticar o paciente como intuitivo introvertido em parte porque outro analista anteriormente o fizera e em parte porque o paciente, tendo lido Jung, definiu-se como intuitivo nos contatos iniciais com o terapeuta. Assim, este vê-se forçado a admitir que diagnosticou mal aquele paciente.

Essas experiências levaram muitos terapeutas a abandonar o uso da tipologia psicológica, engrossando a já grande fileira dos analistas da International Association for Analytical Psychology que não consideram os tipos úteis na prática clínica (ver Plaut, 1972). Eu acho que as dificuldades inerentes ao uso preciso dos tipos psicológicos é que os tornam interessantes. Venho tentando há algum tempo formular um modelo que possibilite a existência de rigor no uso dos tipos – ao menos o grau de rigor exigido por Jung em seu prefácio à edição argentina de *Tipos Psicológicos*, surgida em 1936:

> Uma psicologia baseada na experiência sempre toca em questões pessoais e íntimas e, assim, desperta tudo o que é contraditório e obscuro na psique humana. Quando se mergulha, como é o meu caso por razões profissionais, no caos das opiniões, preconceitos e suscetibilidades psicológicas, tem-se uma impressão profunda e indelével da diversidade das disposições psíquicas, tendências e convicções individuais, enquanto, por outro lado, sente-se cada vez mais a necessidade de alguma espécie de ordem em meio à caótica multiplicidade de pontos de vista. Essa necessidade exige uma orientação crítica e princípios

e critérios gerais, não demasiado específicos em sua formulação, que possam servir de *points de repère* ["indicações, referências ou marcos"] na seleção do material empírico. (Jung, 1971, p. xiv)

Para atender à exigência de Jung, serei mais específico na minha formulação dos tipos do que o foi ele próprio. Eu percebi que, no modelo de tipos psicológicos ao qual se acostumaram os analistas junguianos, muito pouco fica claro e são tiradas demasiadas conclusões ilógicas. Por exemplo, uma pessoa pode ser rotulada de introvertida ou de extrovertida, como se a introversão ou extroversão abarcassem todas as suas três principais funções psicológicas, deixando apenas à inadaptada função inferior a expressão da totalidade da introversão ou extroversão oposta desse indivíduo. Assim, por exemplo, eu sou um extrovertido com a intuição como minha principal função. Portanto, pode-se presumir que eu também seja extrovertido no meu pensamento e nos meus sentimentos. De acordo com esse modelo tipológico, minha escassa sensação introvertida é forçada, em algum lugar do inconsciente, a carregar a totalidade de minha relação com o mundo interior. Um modelo mais democrático, que me permita duas funções extrovertidas e duas introvertidas é apenas um pouco mais promissor. De acordo com esse modelo, ambas as minhas principais funções – tanto a intuição (superior) quanto o pensamento (auxiliar) – seriam abrangidas pela minha predominante suposta extroversão, deixando meu sentimento relativamente inferior e minha sensação absolutamente inferior carregarem a minha introversão de modo totalmente inferior e inadaptado.

Jamais fui indiscutivelmente tão extrovertido quanto esses dois modelos sugerem. Durante muitos anos, alguns de meus amigos tiveram a certeza de que sou um introvertido, ao passo que outros estiveram convencidos da minha predominante extroversão. A razão para essa disparidade de opinião está em que as três implicações da teoria tipológica de Jung não foram devidamente observadas: (a) a presença constante do processo auxiliar, (b) os resultados das combinações de percepção e julgamento e (c) o papel da função auxiliar no equilíbrio introversão-extroversão. Isabel Myers e sua mãe, Katharine C. Briggs, tornaram explícitos os argumentos de Jung quando desenvolveram o sensível e amplamente utilizado instrumento denominado Indicador Tipológico Myers-Briggs (Briggs e Myers, 1979). Myers e Myers (1980, pp. 18-21) citam Jung acerca desses argumentos conforme abaixo:

- Da presença constante da função auxiliar:

> Em conjunto com a função mais diferenciada, outra função de importância secundária – e, portanto, de diferenciação inferior na consciência – é presença constante e fator relativamente determinante. (Jung, 1923, p. 513; ver também Jung, 1971, § 666).
>
> A experiência mostra que a função secundária é sempre uma cuja natureza é diferente, embora não antagônica, da função principal: assim, por exemplo, o pensamento como função primária pode muito bem ter como par auxiliar a intuição, ou mesmo igualmente bem a sensação, mas [...] jamais o sentimento. (Jung, 1923, p. 515; ver também Jung, 1971, § 668)

- Das combinações entre percepção e julgamento:

> Dessas combinações surgem quadros conhecidos, como, por exemplo, o intelecto prático emparelhado com a sensação, o intelecto especulativo avançando com a intuição, a intuição artística que seleciona e apresenta suas imagens mediante o julgamento sensível, a intuição filosófica que, associada a um vigoroso intelecto, traduz sua visão para a esfera de um pensamento compreensível e assim por diante. (Jung, 1923, p. 515; ver também Jung, 1971, § 669)

- Do papel da função auxiliar no equilíbrio extroversão-introversão:

> Para todos os tipos que aparecem na prática, vale o mesmo princípio de que, além da principal função consciente, há uma função auxiliar relativamente inconsciente que é, em todos os aspectos, diferente da natureza da função principal. (Jung, 1923, p. 515; ver também Jung, 1971, § 669)

É da última citação que Myers abstraiu o princípio que considero essencial a qualquer discussão dos tipos psicológicos. Segundo Myers e Myers (1980, pp. 19, 21):

> O princípio básico de que a função auxiliar fornece a necessária extroversão aos introvertidos e a necessária introversão aos extrovertidos é de vital importância. A função auxiliar dos extrovertidos lhes dá acesso a sua vida interior e ao mundo das ideias; a dos introvertidos lhes fornece um meio de adaptar-se ao mundo da ação e lidar eficientemente com ele.
>
> As únicas alusões de Jung a esse fato são enigmaticamente breves. Por isso, quase todos os seus seguidores, com a exceção de van der Hoop[1], parecem não ter entendido o princípio envolvido. Eles presumem que os *dois* processos mais desenvolvidos são usados na esfera favorita (seja a da extroversão, seja a da introversão) e que a outra esfera é deixada à mercê dos dois processos inferiores [...].
>
> Assim, o bom desenvolvimento do tipo exige que o processo auxiliar suplemente o dominante em dois aspectos. Ele deve promover um grau de equilíbrio útil não apenas entre percepção e julgamento, mas também entre extroversão e introversão. Quando isso não ocorre,

---

[1] Essa questão foi analisada recentemente por Wayne Detloff (1972, p. 70) e Alex Quenk (1978).

o indivíduo fica literalmente "desequilibrado", busca refúgio em seu mundo preferido e tem medo consciente ou inconsciente do outro. Tais casos de fato se verificam e, aparentemente, essa é a razão para a pressuposição difundida entre os analistas junguianos de que a função dominante e a auxiliar são naturalmente ambas extroversas ou ambas introvertidas; mas tais casos não constituem a regra: eles são exemplos de uso e desenvolvimento insuficientes da função auxiliar.

Assim, parece-me claro que os amigos que me consideram um extrovertido sentem minha intuição extrovertida, ao passo que aqueles que me julgam um introvertido se impressionam mais com o meu pensamento introvertido. Daí decorre que eu uso a primeira das minhas principais funções para me comunicar com algumas pessoas e, com outras, uso a segunda dessas funções. Esse reconhecimento levou-me a concluir que os tipos são um sistema de verificações e balanços. As funções alternam-se segundo a atitude, da mais consciente e diferenciada para a menos consciente e diferenciada. Por meio da listagem de minhas funções de acordo com o grau de diferenciação (decrescente, de mais para menos) e em termos da atitude adotada por cada função (seja extrovertida ou introvertida), é possível atribuir-me um *perfil tipológico*[2]:

    intuição extrovertida
    pensamento introvertido
    sentimento extrovertido
    sensação introvertida

---

[2] Havia decidido usar o termo perfil tipológico (em inglês, *type profile*) antes de tomar conhecimento de "Typrofile", marca registrada da Typrofile Press, que consiste em uma pequena cara que ilustra cada um dos 16 tipos identificados pelo Indicador Tipológico Myers-Briggs. A leitura do panfleto de Schemel e Borbely (1982) revela a compatibilidade entre meu modelo e o seu, bem como a ênfase distinta de cada uma das abordagens.

A partir de meu perfil tipológico, podem-se tirar algumas conclusões. Em primeiro lugar, deve-se notar que eu possuo um pouco de todas as quatro funções. Entretanto, habitualmente adoto a atitude extrovertida diante das tarefas que exigem o uso da intuição; eu não uso a intuição de modo introvertido – eu evito, inibo ou simplesmente não o percebo. (Na realidade, tenho dificuldade para admitir que a intuição introvertida seja ao menos válida; ela muitas vezes parece um mau emprego da intuição.) Da mesma forma, tenho dificuldade com a abordagem extrovertida do pensamento: ela parece coletiva, pouco original e monótona. Para mim, a forma certa de pensar é introvertidamente. Quando a tarefa requer sentimento – como quando um colega me convida para uma festa –, acho que a abordagem extrovertida é a única forma de expressar sentimento: devo ir à festa porque ele quer ver-me lá. (Aqui eu preciso de um parceiro com sentimento introvertido para dizer: "Não quero ir!", o que representa uma defesa de suas preferências e limitações de energia. Essa reação me ajudaria a ver que o que importa na questão é o pessoal, e não o empático ou o político.) Finalmente, a sensação – assiduamente transmitida por meu inconsciente – está presente em mim. Porém essa sensação inferior, delicada, é empaticamente introvertida e incrivelmente preocupada com o conforto no interior de meu corpo durante as refeições e em outras ocasiões em que as sensações viscerais – como o paladar e a fome – predominam. Além disso, ela em geral é indiferente ao lado extrovertido da sensação, como a forma de uma casa ou o caminho que escolho ao ir para uma festa.

    Minha acentuada preferência por uma determinada atitude quando uso cada uma de minhas funções toma-me sensível à experiência de algumas pessoas e indiferente à de outras. Por essa razão, tendo a estar quase sempre em harmonia com algumas pessoas e em desacordo com outras. Eis aqui o perfil de alguém a quem consigo não ofender quase nunca:

    sensação introvertida
    sentimento extrovertido

pensamento introvertido
intuição extrovertida

A pessoa que apresenta esse perfil é o meu oposto. Poder-se-ia pensar que somos tão diferentes que mal podemos nos comunicar. Na verdade, essa pessoa é o meu mais velho amigo. Por mais de trinta anos vimos conversando, já que fomos colegas de dormitório no curso pré-universitário. Ele tornou-se empresário; eu, médico; ele fez análise freudiana; eu, junguiana; ele é republicano; eu, democrata; ele pratica esportes nas horas vagas; eu me dedico à leitura; e por aí vai. Somos compatíveis porque compartilhamos a mesma atitude diante de qualquer tópico que discutimos, seja este ligado ao sentimento, à sensação, ao pensamento ou à intuição. O fato de que ele é mais avançado que eu em termos de sensação e sentimento torna-o ainda mais admirável aos meus olhos; ele complementa minha compreensão nessas áreas. Creio que faço o mesmo por ele de outras maneiras: meu pensamento introvertido e minha intuição extrovertida respaldam os seus.

Uma razão mais importante ainda para a nossa compatibilidade é a nossa satisfação mútua no nível da *anima*. Nossas animas encontraram alguém com bastante do dominante que consideram importante: a dele aprecia minha intuição, já que sempre quis que ele desenvolvesse mais sua intuição extrovertida, e a minha aprecia a sensação nele, já que deseja que eu me ocupe da sensação introvertida. Se ele possuísse sensação extrovertida, minha *anima* ficaria irritada, não apaziguada, e duvido que ele apreciasse minha intuição se ela fosse introvertida.

Abaixo está o perfil de alguém a quem já ofendi com maior frequência – meu companheiro de vida há 13 anos:

sentimento introvertido
sensação extrovertida
intuição introvertida
pensamento extrovertido

Uma rápida comparação entre nossos perfis revela que em qualquer questão que envolva sentimento, sensação, intuição ou pensamento, a atitude dele – extrovertida ou não – será oposta à minha. Essa oposição provocou dificuldades não só apenas no nível do ego (por exemplo, conflitos de vontade e verdadeiras diferenças de opinião), mas também no da *anima*. A sensação introvertida que minha *anima* acha importantíssima é geralmente ignorada por sua função auxiliar em favor da sensação extrovertida, e a organização inerente ao pensamento extrovertido que a *anima* dele prefere está ausente em meu idiossincrático pensamento introvertido.

Meu colega do pré-universitário e eu somos iguais no sentido de termos funções "irracionais" – ou (como diria Myers) "perceptivas" – como dominantes, ao passo que meu companheiro e eu diferimos por ele ter uma função "racional" – ou "julgadora" – como dominante. Muitas vezes, ele tomou minhas percepções como julgamentos e eu, os julgamentos dele por percepções; muitas vezes tivemos de lembrar-nos que minhas percepções não refutam seus julgamentos e que estes não negam aquelas.

Embora eu esteja instintivamente mais à vontade com o meu colega, aprendi mais com o meu companheiro. Meu colega sempre tendeu a confirmar os processos que uso para chegar às minhas convicções, quando não até o próprio conteúdo delas. Meu companheiro serviu para lembrar-me continuamente de que há outro processo além do que eu usaria normalmente, e eu suspeito haver feito o mesmo com relação a ele. Por meio do meu companheiro, aprendi acerca da abordagem introversa da intuição, da abordagem extrovertida da sensação, da abordagem extrovertida do pensamento e da abordagem introvertida do sentimento – todas normalmente negligenciadas quando ajo instintivamente de acordo com meu perfil. Essa aprendizagem foi difícil para mim, mas permitiu-me progredir na compreensão psicológica. Comecei a ver que qualquer problema de sentimento, pensamento, sensação ou intuição implica uma escolha entre as abordagens opostas da extroversão *ou* introversão. Já não creio que haja apenas uma forma de abordar um problema, e essa convicção aumentou minha empatia pelos pacientes que se decidirem por uma opção distinta da que eu proponho devido à minha atitude predominante.

O modelo de tipos psicológicos que discuto aqui retém a pressuposição da bipolaridade recentemente questionada por Singer e Loomis (1980) por meio de novos testes empíricos. Eu comprovei o pressuposto da bipolaridade – isto é, que pensamento e sentimento e sensação e intuição são polos de um mesmo eixo – mediante o estudo de tipos psicológicos em interações e sonhos pela introspecção e empatia. Meu modelo leva esse pressuposto até sua conclusão lógica, a saber, que não só as funções, mas também suas atitudes, são opostas ao longo de um determinado eixo. Os opostos mais fortes são os próprios eixos. O eixo racional (cujos polos são o pensamento e o sentimento) e o irracional (cujos polos são a intuição e a sensação) são diametralmente opostos, e a única diferença mais significativa entre indivíduos ocorre, creio eu, quando as funções superiores estão em eixos distintos. Assim, os tipos perceptivos são todos mais semelhantes, independente de a dominância recair em introversão ou extroversão, sentimento ou pensamento; e a diferença não pode ser maior que a existente entre os tipos julgadores e os perceptivos.

Aplicações clínicas do modelo

Provavelmente, o que mais influi no tipo de transferência desenvolvido por um analisando recai na maneira como este sente a empatia do analista. (Para uma análise extraordinariamente lúcida do conceito de empatia, ver Basch, 1983.) Pela relação entre o perfil tipológico do analista e o do analisando, pode-se predizer qual o grau de compreensão empática entre eles. Quando o perfil tipológico do analista combina com o do analisando, a empatia do analista será fácil e instintiva. Quando o perfil tipológico do analista não está em harmonia com o do analisando, haverá falhas de empatia. A empatia fácil promove uma transferência arquetípica, conforme descreve Edward Edinger (1973) em *Ego and Archetype*:[3]

> Os pacientes cujo eixo ego-Si-mesmo se encontra danificado se impressionam mais, na psicoterapia, pela descoberta de que o psicoterapeuta os aceita. Inicialmente, eles não conseguem acreditar nisso. O fato da aceitação pode ser objeto de descrédito, sendo considerado apenas uma técnica profissional desprovida de realidade genuína. Todavia, se a aceitação do terapeuta puder ser reconhecida como fato, aparece prontamente uma poderosa transferência. A fonte dessa transferência parece ser a projeção do Si-mesmo, especialmente em sua função de órgão de aceitação. Nesse ponto, as características *centrais* do terapeuta-Si-mesmo tornam-se proeminentes. O terapeuta como uma pessoa torna-se o *centro* da vida e dos pensamentos do paciente. As sessões de terapia se tornam os pontos *centrais* da semana. Surgiu, onde antes só havia caos e desespero, um centro de significado e de ordem. Esses fenômenos indicam que está em andamento uma reparação do eixo ego-Si-mesmo. Os encontros com o terapeuta serão experimentados como um contato rejuvenescedor com a vida, um contato que veicula um sentimento de esperança e de otimismo.

Creio que a razão óbvia para o analista captar a projeção do *Self* nessa feliz transferência/contratransferência está no fato de seu perfil tipológico corresponder às linhas de diferenciação favorecidas pelo *Self* do próprio analisando. Tais relacionamentos não são diferentes daquele que tenho com meu colega do pré-universitário – duradouros e

---

[3] *Ego e Arquétipo*. 2. ed. São Paulo: Cultrix, 2020.

positivos. Porém, passado um determinado ponto de reparação do *Self*, eles podem tornar-se mais cômodos que estimulantes ao crescimento.

Quando o perfil tipológico do analista é marcadamente diferente daquele que tem o analisando, pode ter lugar uma transferência/contratransferência turbulenta e cheia de desavenças. Diante dessas condições prévias, ambos podem sentir-se intimidados, como se estivessem à beira de uma discussão, apesar de todos os seus esforços para ser receptivos. No entanto, tais experiências de desacordo interior podem levar ao crescimento. Na situação analítica, quando o analisando sente que a empatia do analista provém de uma direção inesperada, ele é forçado a considerar a possibilidade de assumir uma atitude (extrovertida ou introvertida) que não aquela que adotou instintivamente diante do problema de raciocínio, sentimento, sensação ou intuição que está sendo investigado. Às vezes, essa possibilidade é inaceitável para o analisando, e a experiência de discordar do analista fortalece a noção que o analisando tem de si mesmo. Como frisou von Franz (1971, p. 52), geralmente a maior dificuldade se verifica no contato com a pessoa que tem igual função principal, mas atitude diferente. Contudo, às vezes pode desenvolver-se sobre essa base uma transferência complementar.

Uma interação terapêutica complementar desse tipo ocorreu entre mim e um analista mais velho. Nossos perfis eram os seguintes:

Meu perfil
intuição extrovertida
pensamento introvertido
sentimento extrovertido
sensação introvertida

Perfil do analista
intuição introvertida
pensamento extrovertido
sentimento introvertido
sensação extrovertida

Como ambos éramos tipos irracionais e perceptivos, não tendíamos a julgar nem a sentir-nos julgados pelas reações de cada um, e assim pudemos explorar plenamente nossas diferenças de atitude. Ao longo dessa análise, desfrutei – e creio que meu analista também – da descoberta de novos modos de fazer a função dominante tomar a direção contrária. Já que nossos níveis de diferenciação dentro de cada função eram praticamente iguais (tendo em conta as diferenças de idade e desenvolvimento psicológico), não havia muita inveja nem vergonha diante da exposição de áreas não desenvolvidas. A despeito de ocasionais dissensões de pontos de vista, estávamos à vontade em nossa relação, apesar de ela ser também um desafio. As diferenças de atitude em nossas funções dominantes e nas demais funções eram secundárias em relação ao valor compartilhado que dávamos à percepção, que consistia em nossa maior abordagem do relacionamento. Se ambos fôssemos tipos racionais, julgadores, é possível que uma interação muito mais competitiva e hostil tivesse ocorrido, dado o perfil que tínhamos, pois provavelmente nos julgaríamos mais enquanto tentávamos criar um relacionamento. Todavia, creio que uma relação complementar também é possível entre os indivíduos que têm diferentes atitudes, mas iguais funções superiores no eixo racional.

Por outro lado, uma leve diferença de perfil tipológico pode causar tensão dentro da relação analítica. Abaixo, meu perfil e o de um paciente:

Meu perfil	*Perfil do paciente*
intuição extrovertida	pensamento introvertido
pensamento introvertido	sensação extrovertida
sentimento extrovertido	intuição introvertida
sensação introvertida	sentimento extrovertido

Para exemplificar a tensão que essa leve diferença produziu, gostaria de citar o relatório desse caso, que foi escrito para outros fins:

> Um jovem engenheiro, que havia conseguido destaque na escola e na faculdade sob a pressão de um pai exigente, sentiu-se motivado, graças

a experiências com drogas e amigos do movimento de contracultura, a deixar seu primeiro emprego após a formatura com o propósito de explorar "variedades da experiência religiosa". Foi para a Costa Oeste e viveu diversas situações comunitárias, onde pôs à prova suas ideias sobre sexo e religião. Por fim, tentou trocar a adaptação dominante heterossexual pela homossexual, mas tornou-se o homossexual mais absurdo e fracassado possível, adotando uma *persona* feminina falsa e afetada e uma atitude libertina que criavam um contraste cômico com sua apresentação normalmente reservada e masculina do eu. Em função da pressão de tais experiências, tornou-se ridículo e desorganizado e acabou sendo hospitalizado pelo que parecia ser uma psicose. Quando pediu para ver um "junguiano", foi encaminhado pelo ambulatório a um analista.

Após algumas investigações, o analista concluiu que o paciente, em sua tentativa de anular as exigências excessivas do pai, virara a própria psique pelo avesso. Fugira para suas funções inferiores tentando descobrir partes de si mesmo que o pai não podia organizar por ele. Normalmente um tipo de pensamento introvertido com considerável sensação extrovertida como auxiliar, ele voltou-se a princípio para sua intuição introvertida relativamente inferior, a qual explorou por meio de drogas e pela participação num culto religioso. E então a vida em comunidade estimulou o sentimento extrovertido inferior, normalmente contido em sua *anima*. Ele identificou-se com a *anima*, desempenhando o papel de uma mulher de sentimento extrovertido inferior. Certamente, estava se vingando do pai ao assumir uma caricatura inconsciente do papel "feminino" que ele achava que havia desempenhado em sua relação original com o pai. Mas a compensação toda, embora engenhosa, estava arruinando sua vida e distorcendo psicoticamente sua personalidade. Infelizmente, ele era realmente muito parecido com o engenheiro compulsivo que o pai queria que ele fosse.

O analista assumiu o encargo de apoiar delicadamente o retorno do paciente à adaptação por meio de suas funções superiores e, ao mesmo tempo, indiretamente desestimulou a exploração das suas funções inferiores. Ele recusou-se terminantemente a adotar a abordagem sentimento-intuição "junguiana" mais floreada que o paciente inicialmente pedira. Com isso, a tolice quase hebefrênica do paciente desapareceu. Ele retomou o funcionamento heterossexual, recuperou a personalidade introvertida dominante e procurou trabalho numa área menos ambiciosa ligada à engenharia. (Sandner e Beebe, 1982, pp. 315-16)

Li esse relatório de caso num seminário sobre tipos de que participei no Jung Institute de San Francisco em novembro de 1982, e a reação de um dos presentes às palavras desse relatório ajudou-me a ver que meu tom em relação a esse paciente era frio, às vezes quase desdenhoso. Uma explicação parcial para o cunho pejorativo de alguns de meus comentários é que o cliente tinha um lado sociopata (não discutido no relatório de caso) que havia forçado um término prematuro. Entretanto, acredito que minha contratransferência estava baseada muito mais na reação de antipatia de meu próprio temperamento à direção introvertida da intuição do paciente e à direção extrovertida da sua sensação. Eu compreendia mais seu pensamento introvertido e sentimento extrovertido. Em outras palavras, eu estava "em sintonia" com seu eixo racional e "fora de sintonia" com seu eixo irracional. Conquanto eu o tenha ajudado a colocar seu eixo racional em ordem, eu só podia encorajá-lo a deixar de lado seu eixo irracional.

No trabalho clínico, é importante compreender que os problemas tipológicos frequentemente se expressam por meio de complexos, como quando um tipo de sentimento introvertido é excessivamente autocrítico, em um esforço demasiadamente heroico para endireitar-se. Para entender a relação inevitável entre tipos e complexos que produz conflitos normais e neuróticos, tem-se de reconhecer que os personagens arquetípicos característicos representam as várias funções, de acordo com seus graus de diferenciação dentro do perfil tipológico de um dado indivíduo. Jung assinalou frequentemente que a *anima* carrega a função inferior num homem e que o *animus* carrega essa função numa mulher. Acredito que as demais funções, mesmo se relativamente diferenciadas do inconsciente, também carregam indícios de suas origens arquetípicas: elas também podem ser atribuídas a figuras mitológicas. Descobri que, em sonhos de homens, a função superior muitas vezes é simbolizada por uma figura de herói, que é o ideal de ego para o uso correto dessa função. A função auxiliar muitas vezes é simbolizada por uma figura de pai ou *senex*, e a terceira função, pela figura de um filho ou *puer*. (Nas mulheres, as figuras análogas seriam a heroína, a mãe e a filha ou *puella*; a quarta função seria representada por uma figura de *animus*.)

O reconhecimento de qual figura representa as funções correspondentes torna a dinâmica de minha relação analítica com o paciente do relatório mais compreensível. Abaixo estão nossos perfis tipológicos, com a identificação das figuras arquetípicas.

Meu perfil	*Perfil do paciente*
intuição extrovertida (herói)	pensamento introvertido (herói)
pensamento introvertido (pai)	sensação extrovertida (pai)
sentimento extrovertido (filho)	intuição introvertida (filho)
sensação introvertida (*anima*)	sentimento extrovertido (*anima*)

As relações objetais na interação tipológica que caracterizou minha relação com esse paciente podem agora tornar-se explícitas. Foi pelo uso de meu pensamento introvertido auxiliar que consegui funcionar como um pai para seu herói: tive autoridade para apoiar o retorno do seu raciocínio introvertido à sua legítima posição de dominância dentro da sua psique. Ao mesmo tempo, porém, minha própria intuição extrovertida heroica tendia a sobrepujar a sua intuição introvertida mais fraca; ele só podia sentir-se diminuído e dominado e talvez inspirado a procurar vingança na sociopatia. Da mesma forma, minha *anima*, com sua exigente sensação introvertida, pode ter debilitado muitos dos seus esforços para construir uma forte sensação extrovertida paterna auxiliar, e foi exatamente nessa área que a sua sociopatia surgiu. Por outro lado, fui capaz de demonstrar uma compreensão espontânea pueril ao lado comicamente *trickster* de sua *anima*, já que tanto meu *puer* quanto sua *anima* carregavam sentimento extrovertido. Acredito que minha capacidade de reação a ele nesse nível tocou num ponto saudável dentro da sua tolice ostensivamente hebefrênica e o ajudou a adotar um estilo de humor mais apropriado.

O reconhecimento das figuras arquetípicas como expressivas da hierarquia das funções dentro do perfil tipológico permite diagnósticos tipológicos a partir de sonhos. Em sonhos nos quais um pai e um filho ou uma mãe e uma filha aparecem juntos, as características tipológicas dessas figuras interiores determinam a natureza da segunda (auxiliar) e da terceira funções. Se for usada a pressuposição da bipolaridade, a presença clara de uma mãe de sentimento extrovertido implica a existência de uma filha de pensamento introvertido. Outros sonhos nos quais aparecem figuras *puella* podem ser usados para determinar se a terceira função é na verdade o pensamento introvertido. Ao surgir a figura contrassexual que carrega a função inferior, é geralmente possível completar o perfil tipológico. (Pode-se ter de rejeitar diversas hipóteses antes de finalmente se conseguir um perfil que satisfaça os dados.) Foi a partir dessa base que delineei com precisão meu perfil tipológico e aqueles de meus amigos e pacientes.

No meu próprio caso, eu tinha uma série de sonhos na qual um pai do tipo pensamento estava interagindo com um filho do tipo sentimento. Mais tarde, surgiu uma lavadeira chinesa cujas atividades eram claramente sugestivas de sensação introvertida, e essa figura-*anima* me confirmou que a sensação introvertida era minha função inferior. (Testes feitos com o Indicador Tipológico Myers-Briggs no início de minha análise apoiaram os dados oferecidos pelos meus sonhos.)

O "código de cores" de Jung também pode ser usado para fazer diagnósticos precisos de tipos psicológicos a partir de sonhos (ver Jung, 1959, § 588). Jung correlaciona o verde (ocasionalmente, o marrom) com a sensação, o amarelo com a intuição, o vermelho com o sentimento e o azul com o pensamento. Quando uma das figuras arquetípicas de um sonho veste uma dessas cores ou está a elas associada, a função representada por aquela figura pode ser estabelecida. Algumas das figuras *puer* de meus sonhos tinham cabelos ruivos ou vestiam vermelho; sabendo-se que o *puer* é associado com a terceira função e que o vermelho é sugestivo de sentimento, confirma-se que o sentimento é minha terceira função. Tive de analisar cuidadosamente as figuras de meus sonhos, assim como a operação de minha função sentimento na vida real, para convencer-me de que meu sentimento é tipicamente extrovertido. (Saber que o sentimento é algo de um *puer* ajudou-me a compreender que eu às vezes decepciono as pessoas porque meu sentimento extrovertido me faz aparentar estar presente e depois subitamente indisponível. Essa é uma área que preciso trabalhar melhor.)

Observando por um longo período seus próprios sonhos e os dos pacientes, o analista pode estabelecer com precisão os perfis necessários à explicação da interação terapêutica em termos tipológicos.

Resumo

Um modelo de tipos psicológicos e algumas aplicações clínicas foram apresentados como modo de usar mais precisa e dinamicamente a teoria de tipos psicológicos de Jung. Existem duas pressuposições essenciais ao modelo: a primeira, que deve muito ao trabalho pioneiro de Katharine

Briggs e Isabel Myers, é que uma pessoa desenvolve um perfil com base no uso preferencial de quatro dos oito tipos possíveis que representam a amplitude total das quatro funções (extrovertidas e introvertidas). Os outros quatro tipos, em qualquer indivíduo, realmente estão na sombra e, se acaso se desenvolvem, é somente em resposta aos desafios dos relacionamentos íntimos. Essa incompletude de desenvolvimento normal do tipo é resultado de um sistema de verificações e balanços disponível na utilização extrovertida e introvertida das várias funções.

A segunda pressuposição, retirada da observação do modo como as funções são personificadas em sonhos, é que os tipos psicológicos, embora sejam funções do consciente, se diferenciam de acordo com um plano arquetípico baseado a *priori* numa matriz inconsciente. Acredito que as quatro funções sejam ordenadas conforme um esquema que tem uma figura de herói/heroína (que reflete a função superior) compensada por uma figura de *animus/anima* (que representa a função inferior) e assistida por um pai/mãe (detentores da função auxiliar) e filho/filha (que expressa a terceira função). Essa ordem arquetípica é muito útil na determinação e comprovação do perfil tipológico do indivíduo a partir de seus sonhos e tem profundas implicações para o comportamento desse indivíduo nas suas interações tipológicas com os outros.

O perfil tipológico de alguém inevitavelmente afeta sua interação com outras pessoas que possam ter perfis similares, um tanto diferentes ou muito diferentes. Tais interações entre os tipos desempenham papel significativo na dinâmica de qualquer relação íntima, inclusive a terapêutica, onde elas constituem uma das complicações da transferência/contratransferência.

Referências

BASCH, M. F. 1983. "Empathic understanding: A review of the concept and some theoretical considerations". *Journal of the American Psychoanalytic Association* 31/1:101-126.

BRIGGS, K. C. e MYERS, I. B. 1979. *Manual: The Myers-Briggs Type Indicator*. Palo Alto, Calif.: Consulting Psychologists Press.

DETLOFF, W. 1972. "Psychological types: Fifty years after". *Psychological Perspectives* 3/1:62-73.

EDINGER, E. F. 1973. *Ego and Archetype*. Nova York: Penguin Books. [*Ego e Arquétipo*. 2. ed. São Paulo: Cultrix, 2020.]

FRANZ, M. L. von. 1971. "The inferior function". In: *Jung's typology*, pp. 1-54. Nova York: Spring Publications. [*A Tipologia de Jung*. 6. ed. São Paulo: Cultrix, 2016.]

JUNG, C. G. 1923. *Psychological Types*. Nova York: Harcourt Brace.

JUNG, C. G. 1959. *A Study in the Process of Individuation*. In: *Collected Works*, 9/1:290-354. Princeton: Princeton University Press.

JUNG, C. G. 1971. *Psychological Types*. In: *Collected Works*, vol. 6. Princeton: Princeton University Press.

MYERS, I. B. e MYERS, P. B. 1980. *Gifts Differing*. Palo Alto, Calif.: Consulting Psychologists Press.

PLAUT, A. 1972. "Analytical psychologists and psychological types: Comment on replies to a survey". *Journal of Analytical Psychology* 17/2:143-47.

QUENK, A. 1978. "Psychological types: The auxiliary function and the analytical process". Tese inédita apresentada à Inter-Regional Society of Jungian Analysts.

SANDNER, D. e BEEBE, J. 1982. "Psychopathology and analysis". In: *Jungian Analysis*, M. Stein, org., pp. 294-334. La Salle, Ill., e Londres: Open Court.

SCHEMEL, G. J. e BORBELY, J. A. 1982. *Facing Your Type*. Wernersville, Penn.: Typrofile Press.

SINGER, J. e LOOMIS, M. 1980. "Presenting the Singer-Loomis inventory of personality". In: *Money, Food, Drink, and Fashion and Analytic Training*. Anais do Oitavo Congresso Internacional de Psicologia Analítica, J. Beebe, org., pp. 386-97. Fellbach-Oeffingen, West Germany: Bonz, 1983.

A Transferência/Contratransferência Entre a Analista e a Menina Ferida

Betty De Shong Meador*

Para atingir sua plenitude, a mulher precisa explorar os aspectos femininos do *Self*. Então seu ego refletirá e expressará o divino feminino no qual tem suas raízes. Isto é, a complexa energia que denominamos de feminino arquetípico informará a orientação de seu ego.

A mulher que tem o ego malformado devido a dificuldades na tenra infância tem determinados problemas com relação ao feminino arquetípico. A ferida que a criança guarda da criação inadequada que lhe deram os pais persiste na vida adulta sob a forma de baixa autoestima e relação instável com a feminilidade e consigo mesma como

---

* **Betty De Shong Meador**, Ph.D., é analista junguiana com consultório particular na área de San Diego. Membro das Societies of Jungian Analysts de San Diego e Los Angeles, cursou a graduação e o mestrado na University of Texas e o doutorado na United States International University em San Diego. Autora de diversos artigos sobre a terapia centrada no cliente e o feminino na psicologia junguiana, atualmente dedica-se à tradução da poesia inspirada na deusa sumeriana Inanna.
© 1984 Chiron Publications

mulher. O amor próprio dessa mulher é ainda mais debilitado pelos desequilíbrios na cultura – reais e percebidos – em favor dos homens e do masculino. A depender do grau de adaptação da criança ferida aos valores e atitudes masculinos, mais favorecidos, para aumentar sua autoestima, ela torna o próprio ego cego à sua base natural feminina. Essa mulher entra na idade adulta com o ego fraco e dominado por atitudes coletivamente adotadas, às quais ela se agarra para sobreviver. Dentro da psique ela traz uma criança ferida, atrofiada em seu desenvolvimento natural. Todavia, essa criança traz consigo as sementes do instinto feminino, as quais podem levar a mulher ao *Self*.

Muito já se escreveu sobre o tratamento da criança ferida no interior do adulto no cenário terapêutico. Neste ensaio, detenho-me naquela situação de transferência/contratransferência em que cliente e analista são ambas do sexo feminino e essa criança ferida surge na análise e começa a pressionar pela integração.

Numa escala mais ampla, investigo aquela passagem ou mudança em que a mulher deixa de apoiar seu eu feminino no patriarcado para apoiá-lo no feminino arquetípico. Nesse processo, ela abandonará atitudes da cultura que impôs a si mesma para acolher aquelas atitudes geradas por seu instinto, à medida que essas começarem a surgir-lhe em sonhos, na imaginação e no sentimento.

Numa escala arquetípica, essa mudança é decorrência da mudança da era de Peixes para a de Aquário que vivemos. A deusa, em suas várias formas, está reemergindo para ganhar um local no panteão do consciente. Esse grande evento arquetípico se está manifestando de inúmeras formas em nosso mundo, e o seu surgimento nas psiques desprevenidas e despreparadas de analista e analisanda não é um dos menos importantes.

Ironicamente, é a própria vulnerabilidade da menina interior que traz consigo o conhecimento do divino feminino. Apesar de muito incapacitante e emocionalmente dolorosa, a ferida implica uma secreta fidelidade ao instinto feminino. A ferida implicitamente diz: "Isso não é certo". Não é certo que a feminilidade seja constrangida ou desprezada. O segredo – e, às vezes, a vergonha – da mulher é estar ligada pelo sangue à banida Prostituta da Babilônia, da mesma forma que a Maria, a Mãe de Deus. A mulher sente *intimamente* os aspectos instintivos do feminino que foram reprimidos e negados pela cultura. O pano de fundo arquetípico patriarcal de nossa cultura manifesta-se com teimoso conservadorismo. A emergência do novo modo arquetípico – a deusa – verifica-se necessariamente primeiro nas psiques daqueles que carregam seu peso dentro de uma cultura alienígena ou hostil. As velhas formas culturais, como os maus casamentos ou as defesas neuróticas, tendem a sobreviver à sua utilidade.

O problema específico das mulheres que tentam acolher e nutrir sua menina ferida é que essa criança deve ao final basear-se nos aspectos femininos instintivos do *Self*. Ao instinto feminino reservaram-se locais insossos na cultura. A feiticeira, com sua sabedoria intuitiva e seu poder de cura psíquica, o representou. Mulheres que causaram escândalo também o representaram, ao lançar o orgulho por sua sexualidade na cara dos pais de direito. Certas manifestações coletivas do feminino foram dissociadas e relegadas ao ostracismo, privadas de expressão cultural, da mesma forma que o foram da expressão psíquica individual. Não é de admirar, portanto, que as mulheres tremam quando a deusa surge com sua promessa de curar a criança ferida.

Gostaria de examinar o florescer das sementes de amor pelo feminino guardadas na criança ferida. Gostaria de analisar uma determinada manifestação de transferência/contratransferência e algumas de suas implicações. Apresentarei essa situação sob a forma de um conto de fadas. Ele é contado do ponto de vista da analista, mas poderia muito facilmente ser contado do ponto de vista de qualquer mulher.

> Este é um conto de fadas sobre duas mulheres que trabalham juntas numa relação muito estreita e íntima. Ele começa quando uma das

mulheres busca a ajuda da outra para certos problemas de sua própria vida. A mulher que ajuda aprendeu muito com os livros, com os mais velhos, pedindo ajuda aos outros. Ela tem anos de experiência ouvindo as mulheres que a procuram. Ela acha que pode lidar com o que emergir dessa relação íntima. Se por acaso ficar confusa, conhece várias pessoas a quem pode pedir conselhos.

Certo dia, para grande surpresa, perplexidade, até vergonha e constrangimento da mulher que ajuda, uma forte, intensa e urgente emoção erótica cresce dentro dela em relação à mulher que lhe veio pedir ajuda. Ela fica ruborizada; não ousa abordar o assunto.

Segue-se um confuso turbilhão de imagens. Ela se lembra de haver aprendido e até mesmo acreditado na injusta destrutividade presente na sedução de alguém que vem em busca de ajuda. Ela pensara estar a salvo disso. Os *homens* haviam falado muito acerca dos problemas com sentimentos eróticos em relação a mulheres que haviam ajudado, e talvez algum dia ela pudesse amar com luxúria algum belo homem que viesse procurá-la. Mas nunca, nem no mais louco sonho, imaginara que Eros a faria olhar para uma mulher.

Seus sentimentos estavam fora de controle. Felizmente, atribuíram-lhe como supervisora de análise uma sábia, uma mulher com quem já havia conversado. Sem dúvida, esta saberia como agir. As duas conversaram longamente. Conversaram por semanas a fio. "Como isso pôde acontecer?", perguntava perplexa. "De fato, eu amo as mulheres. Sinto tanta compaixão por elas. Sua vulnerabilidade fala-me ao coração. No entanto, você sabe tão bem quanto eu o quanto meus sentimentos eróticos sempre foram voltados para os homens."

A supervisora sugeriu várias possíveis soluções para esse espinhoso problema. Como era costume, nessa tribo, que os iniciados mostrassem que estavam prontos pela apresentação do relatório escrito da história daquelas pessoas a quem haviam ajudado, ela sugeriu que a pobre discípula escrevesse a história dessa relação dificílima. E ela o fez.

Ainda sem compreender bem o que acontecia, a mulher que ajuda compareceu perante os mais velhos para o ato final da iniciação. Todos eles eram homens e também estavam perplexos. Sugeriram várias novas razões para que uma coisa assim acontecesse. A mulher que ajuda sobreviveu à iniciação e tornou-se um membro de fato e de direito – ainda que um tanto confuso – da tribo.

A mulher que ajuda assumiu sua nova função. Tinha um relacionamento maravilhoso e enriquecedor com o homem de sua vida. Talvez os sentimentos que tivera para com aquela mulher fossem "um estágio em seu desenvolvimento", como lhe haviam ensinado a dizer os mais velhos. Talvez agora estivesse numa nova fase de seu crescimento e, embora ainda não compreendesse o que havia acontecido, talvez as lembranças do episódio se desvanecessem.

Elas não se desvaneceram. Pior ainda. Outras mulheres vieram buscar sua ajuda. Cada vez com maior frequência, sobrevinha a explosão de sentimentos eróticos quando essas mulheres contavam suas histórias. Ela já não podia consolar-se pensando que a primeira experiência havia sido um evento único, atípico mas necessário, que tinha que ver com um estágio de seu desenvolvimento. Agora seu erotismo transbordava indiscriminadamente. Ela já não sabia para quem ele se voltaria. Estava no auge do desespero. "Bom Deus", rezava, "terei de deixar o homem que amo? O que isso significa? Tenho que me ver partida em duas?"

Como se em resposta à sua prece, uma grande deusa veio até ela num sonho e sua mensagem foi muito clara: "O patriarcado acabou. Você não consegue ver? Não vê a sua morte nas duas covas que você e as outras mulheres estão preparando? Não vê o grande pilar de junco que coloquei nas covas? O pilar de junco é minha imagem, minha epifania. Onde quer que ele esteja, lá estou com todo o meu poder. É o meu poder que está na cova do patriarcado. Você precisa apressar-se para colher mais juncos. Vá com as outras mulheres. Construam os pilares à minha imagem".

A grande deusa contou-lhe muitas outras coisas no sonho: "Venho até você de forma muito forte, a erótica. Você esqueceu como me amar. Continuarei voltando até que você aprenda. Estou lhe ensinando a me amar, a amar a condição feminina, a amar a mulher, a amar o seu eu feminino. E o remédio que uso é forte".

A mulher acordou espantada. Sentia-se aliviada, via a revelação como uma abertura, um começo, uma entrada num mistério. Começou a venerar a grande deusa de todas as formas que sabia. Aos poucos, os difíceis sentimentos eróticos que tivera em relação a mulheres começaram a ceder. Curiosamente, com seu desaparecimento, outro fenômeno parecia surgir. Todas as mulheres que a procuravam, uma após a outra, contavam a seguinte história: "Sempre fui inteiramente heterossexual, mas agora está acontecendo algo estranhíssimo..." ou "Sou casada, e muito bem, há 25 anos e, de repente, sem a menor razão, surgiram esses sentimentos...". O fim da história tinha sempre uma grande excitação erótica, tão urgente e avassaladora quanto surpreendente por estar voltada para outras mulheres.

Enquanto ouvia essas histórias, a mulher que ajuda curvava-se interiormente em reverência à grande deusa e abençoava o dia em que a deusa lhe viera em sonho. Sentia que ela lhe havia aclarado a visão e esclarecido os problemas que sofrera por toda a vida.

Esse conto vale como exemplo da cura que a deusa pode trazer e também como exemplo dos perigos que a paixão provoca quando o feminino irrompe na psique. A deusa vem às mulheres sob diversas formas. Apesar de oferecer uma sólida base instintiva para a criança ferida, ela também tem o perigoso apelo de qualquer arquétipo, uma tentação para o ego deixar-se envolver em seu poder.

Parte da minha tentativa de entrar em relação com esse arquétipo consistiu no estudo da deusa Inanna, a mais poderosa das deusas sumerianas, uma precursora de Ishtar e Astarte. Sincronisticamente, eu desconhecia que Sylvia Brinton Perera também havia sido afetada por essa deusa. A publicação do livro de Perera (1981), *Descent to the Goddess*, e de uma nova tradução de poesia sobre Inanna (Wolkstein e Kramer, 1983) sugere que ela tem algo a nos dizer neste momento.

A poesia dedicada a Inanna foi escrita por volta de 2500 a. C. e sua estatura de deusa da Mesopotâmia provavelmente é anterior aos registros escritos em pelo menos mil anos. Ela é investida da expressão do divino feminino antes do começo do patriarcado e da submissão da deusa ao masculino monoteísta. Isto é, ela possui aspectos do feminino que foram reprimidos pelo patriarcado mas que continuam conhecidos das mulheres em seus eus instintivos mais profundos. Assim, esses aspectos ocultos são parte da base feminina que a criança ferida busca em seu esforço de ser plenamente mulher.

No mito do descenso da deusa ao Mundo Inferior, muito bem explorado por Perera, ficamos sabendo que Inanna vai até este por opção própria. A primeira linha do texto diz: "ELA no grande céu voltou a escuta para a grande terra". A quarta diz: "MINHA SENHORA deixou o céu, abandonou a terra, foi para baixo". Em sumério, a palavra que designa *escuta* significa também sabedoria ou mente. O fato de Inana voltar a escuta para a terra e o Mundo Inferior é o mesmo que ela ocupar-se deles com sua sabedoria.

Inanna vai ao Mundo Inferior para encontrar a irmã mais velha, Erishkegal, que lá reina. Aqui, pois, há um padrão do feminino. A deusa do mundo superior, Inanna, a cultivada e civilizada, busca a iniciação dos poderes primais ctônicos profundos e obscuros que sua irmã detém nos subterrâneos. Lá Inanna se submete à privação de seus poderes, à morte, corrupção e ressurreição.

Outro grupo de poemas sobre Inanna provém do Ritual do Sagrado Casamento, um rito do Ano Novo. Nesses poemas, vemos não só a deusa jovem, em plena emoção da corte e do primeiro amor, mas também a deusa ousada, que exalta o próprio corpo em seu desejo de realização sexual, e a deusa sábia e benevolente, que distribui os frutos da abundância, guardados no depósito "estrelado de diamantes", o "radiante depósito do destino". A seguir, minhas traduções de três poemas em que a deusa exalta o próprio corpo.

Vulva Song
[Canção da Vulva]

I, the Lady
in the house of holy lapis
in sanctuary I pray
I say a holy prayer

[eu, a Senhora / na casa do sagrado *lapis* / em santuário eu oro / ergo uma prece sagrada]

I am the Queen of Heaven
let chanters recite this chant
let singers sing this song
let my bridegroom rejoice with me
let wild bull Dumuzi rejoice
let the words fall out of their mouths
let them sing in the time of their youth
let the song rise up in Nippur
a gift for the son divine

[sou a Rainha do Céu / que os cantores recitem este cântico / que as vozes entoem esta canção / que meu noivo se regozije comigo / que o touro selvagem Dumuzi se regozije / que as palavras lhes brotem da boca / que cantem em sua juventude / que a canção se eleve em Nippur / uma dádiva para o filho divino]

I the Lady sing to praise him
let chanters recite this chant
I Inanna sing to praise him
I give him my vulva song

[eu, a Senhora, canto para louvá-lo / que os cantores recitem este cântico / eu, Inanna, canto para louvá-lo / dou-lhe a minha canção da vulva]

peg my vulva
my star sketched horn of the Dipper
moor my slender boat of heaven
my new moon crescent cunt beauty

[finque minha vulva / meu corno estrelado da Ursa / deite amarras ao meu barco do céu / a beleza de lua nova crescente de minha vagina]

I wait an unplowed desert
fallow field for the wild ducks
my high mound longs for the floodlands

[espero um deserto sem arado / terreno inculto para os patos selvagens / meu monte alto anseia pelo alagadiço]

my vulva hill is open
this maid asks who will plow it
vulva moist in the floodlands
the queen asks who brings the ox

[o monte de minha vulva está aberto / esta serva pergunta quem o vai arar / vulva úmida no alagadiço / a rainha quer saber quem trará o boi]

the king, Lady, will plow it
Dumuzi, king, will plow it

[o rei, Senhora, o vai arar / Dumuzi, o rei, o vai arar]

plow then man of my heart
holy water-bathed loins

[que are, então, homem do meu coração / entranhas sagradas pela água banhadas]

holy Ninegal[1] am I

[sagrada Ninegal sou eu]

Holy Song
[Canção Sagrada]

this song is holy

[esta canção é sagrada]

let me tell where I'm coming from
my vulva is
the power place
a royal sign

---

[1] Outro nome para Inanna.

[deixai-me contar-vos de onde venho /
minha vulva é / o lugar do poder / um sinal real]

I rule with cunt power
I see with cunt eyes
this is where
I'm coming from

[governo com o poder da vagina / vejo com olhos
de vagina / é daí que venho]

An²
fit me out
with my vulva
I live right here
in this soft slit
I live right here
my field wants hoeing
this is my holy word
a dazzling palace
without its sun
I want you Dumuzi
your bough raised to my cunt
Dumuzi
you belong in this house
I looked at everyone
Dumuzi I call you
It's you I want
for prince

---

² Deus do Céu.

[An / equipa-se com a minha vulva / vivo justo aqui / nesta fenda macia / meu campo quer enxada / esta é a minha palavra sagrada / um palácio deslumbrante / sem o seu sol / eu te quero, Dumuzi / teu galho erguido para minha vagina / Dumuzi / esta é a tua casa / a todos mirei / Dumuzi, eu te chamo / és tu quem eu quero / para príncipe]

Dumuzi, beloved of Enlil[3]
even my mother and father adore you

[Dumuzi, bem-amado de Enlil /
até minha mãe e meu pai te adoram]

listen
I will scrub my skin with soap
I will rinse all over with water
I will dry myself with linen
I will lay out mighty love clothes
I know how exactly
I will look so fine
I will make you feel like a king

[escuta / esfregarei minha pele com sabão / lavar-me-ei com água / enxugarei meu corpo com linho / prepararei vestes para o poderoso amor / sei exatamente como / tão linda estarei / que o farei sentir-se como um rei]

---

[3] Deus do Ar.

Poem in Woman's Tongue[4]
[Poema na Língua da Mulher]

the Good City temple
Eridu temple
is fixed up right
the Moon God temple
temple of Sin
shines radiant

[o templo da Cidade Boa / Templo Eridu / está ereto /
o templo da Deusa Lua / templo de Sin / brilha radiante]

An's temple
Eanna
is armed to protect the day

[o templo de An / Eanna / está armado para proteger o dia]

cloud-like Ezida
head of temples
overflows with blessings for you

[Ezida, como as nuvens / cabeça de todos os templos /
transborda de dádivas para vós]

---

[4] Este poema foi escrito em *eme-sal*, dialeto sumeriano usado pelas deusas e suas servas.

GOOD IS THE NAME WE GIVE THIS DAY
DAY OF THE LAPIS BED

[BOM É O NOME QUE DAMOS A ESTE DIA /
DIA DA CAMA DE LAPIS]

holy fire god
holy Gibil
purifies the great sacred room

sanctifies it fit for a queen
fills the reed house
cleans the storehouse
pours the sacred water blessing

[deus do fogo sagrado / sagrado Gibil / purifica o grande aposento sagrado / santifica-o condignamente para uma rainha / enche a casa do junco / limpa o depósito / derrama a bênção da água sagrada]

he wakes the sleeping day
by shouting its name

[ele desperta o dia adormecido / gritando-lhe o nome]

LOOK
THE DAY OF THE BED

[VEDE / O DIA DA CAMA]

the Day the lord exalts the woman
the Day she gives life to her lord
she gives harvest power to her lord
gives the harvest scepter to her lord

[o Dia em que o senhor exalta a mulher / o Dia em que ela dá vida a seu senhor / ela dá a seu senhor o poder da colheita / dá a seu senhor o cetro da colheita]

SHE WANTS IT
she wants the bed
she wants it

[ELA A QUER / ela quer a cama / ela a quer]

the joy of her heart bed
she wants the bed
she wants it

[a cama da alegria do seu coração / ela quer a cama / ela a quer]

the sweet thigh bed
she wants the bed
she wants it

[a doce cama das coxas / ela quer a cama / ela a quer]

the king's bed
she wants the bed
she wants it

[a cama do rei / ela quer a cama / ela a quer]

the queen's bed
she wants the bed
she wants it

[a cama da rainha / ela quer a cama / ela a quer]

with his sweet thing
with his sweet thing bed
with his sweet thing

[com a coisa doce que a ele pertence / com a cama da coisa doce que a ele pertence / com a coisa doce que a ele pertence]

the joy of her heart bed
with his sweet thing bed
with his sweet thing

[a cama da alegria do coração dela / com a cama da coisa doce que a ele pertence / com a coisa doce que a ele pertence]

the sweet thigh bed
with his sweet thing bed
with his sweet thing

[a doce cama das coxas / com a cama da coisa doce que a ele pertence / com a coisa doce que a ele pertence]

the king's bed
with his sweet thing bed
with his sweet thing

[a cama do rei / com a cama da coisa doce que a ele pertence / com a coisa doce que a ele pertence]

the queen's bed
with his sweet thing bed
with his sweet thing

[a cama da rainha / com a cama da coisa doce que a ele pertence / com a coisa doce que a ele pertence]

she makes the bed for him
she lays out the bed

[ela faz a cama para ele / ela prepara a cama]

she makes the bed for him
she lays out the bed

[ela faz a cama para ele / ela prepara a cama]

Eu gostaria de repetir que esses poemas se referem a apenas um aspecto dessa deusa, aquele em que ela tece elogios ao próprio corpo. Depois da consumação do casamento, Inanna passa a ser a que distribui as dádivas, a que tece o destino, a que cuida da "casa da vida". As palavras finais de um desses poemas, no qual Inanna faz derramar um pouco da abundância do seu depósito, são "é forte! É forte!" Suas generosas dádivas alimentam, vitalizam e fortalecem. Ela é o epítome da condição feminina plenamente realizada, forte em si mesma.

Como forma de entender melhor a complexidade dessa deusa, trabalhamos em grupo com esses poemas ao longo de alguns meses e, afinal, os encenamos algumas vezes. O trabalho com os poemas significou muitas coisas para nós, entre as quais uma das mais importantes foi a diversão, o prazer de estar entre mulheres e usar de linguagem irreverente. Porém o que se revelou como subjacente à encenação foi a experiência do sagrado. Colocamos as vestes e assumimos os papéis de sacerdotisas da deusa e, imbuídas dessa atitude, encenamos os poemas.

Diversas reações vieram à tona entre nós que participamos da apresentação e entre as pessoas que compunham as plateias também. A única reação que acontece repetidamente, e que diz respeito a este ensaio é o conflito entre os antigos deuses e os novos. Surgiram sonhos que dizem, por um lado, que Jeová sem dúvida desaprova Inanna e aquilo que ela evoca nas mulheres. Outras mulheres sonharam, após nossa encenação, com muita violência perpetrada contra elas por homens. Todas nós lutamos contra a vergonha de ter tido a ousadia de entoar exaltações a nossos corpos em local público.

Por outro lado, grandes mudanças irromperam em sonhos relacionados à encenação dos poemas de Inanna. Mais de uma vez eles apresentaram a imagem de uma explosão nuclear, juntamente com imagens da mulher que sonhava deixando para trás sua antiga relação com os pais coletivos. Tomei tais sonhos como arautos de uma imagem da nova era, a fissão que libera um tipo totalmente novo de energia.

Que as mulheres deixem para trás sua antiga relação filial com o patriarcado e se baseiem em sua própria natureza feminina é uma mudança de fidelidade de grandes proporções. Ela repercute no nível pessoal, como escreve esta mulher: "Ela me põe em contato com um pequeno pedaço de terra no qual posso plantar minha alma", enquanto que, no passado, "essa chama se inflamaria por um breve instante, tentando o destino, e desapareceria rapidamente em meio ao medo e à vergonha".

A mudança também repercute arquetipicamente. A reemergência da deusa, o feminino arquetípico, abala o *status quo* arquetípico. Surge uma nova face de Deus, e Ela é uma mulher. Não sem grande perturbação Ela tomará seu lugar entre os deuses que gozaram da supremacia por 3000 anos.

Para determinadas mulheres, além de uma consciência cognitiva de sua aparência, o arquétipo da deusa representa uma força ativa na psique, que lhes vem por meio de sonhos, fantasias, visões e sentimentos. Essa energia muda a vida. Ela leva as mulheres a dar a suas vidas novas formas, novos canais de expressão no mundo dos séculos XX e XXI. Com a energia da deusa informando suas vidas, as mulheres descobrirão formas sem precedentes, e essas formas individualmente esculpidas serão a expressão da percepção pessoal de cada mulher. Para esculpi-las é preciso muita coragem e devoção à própria visão. E isso requer que se tenha os pés bem plantados em terreno feminino.

Jung expôs com sua vida, seus escritos e seu trabalho com os pacientes a enorme força das energias arquetípicas na formação e moldagem da direção de uma determinada vida. Quando uma grande mudança se processa nesse drama, como é o caso agora, ela necessariamente produz conflitos, não só entre as pessoas que têm diferentes fidelidades, mas também entre as vozes que há no interior de cada um, como descreveu Jung em *Aion* (1959). Não pode ser diferente. Talvez esse conflito ainda perdure por gerações. Creio que agora temos a oportunidade e a obrigação de abordá-lo com maior consciência de sua relação com a Nova Era, isto é, com a luta da deusa para assumir Seu lugar na divindade.

Referências

JUNG, C. G. 1959. Aion: Researches Into the Phenomenology of the Self. In: *Collected Works*, vol. 9, part 2. Princeton: Princeton University Press.

PERERA, S. BRINTON. 1981. *Descent to the Goddess*. Toronto: Inner City Books.

WOLKSTEIN, D. e KRAMER, S. N. 1983. *Inanna*. Nova York: Harper & Row.

Mãe, Pai, Professor, Irmã: Problemas de Transferência/Contratransferência com Mulheres no Primeiro Estágio de Desenvolvimento do *Animus*

Florence L. Wiedemann*

Espero esclarecer neste ensaio a participação do analista e do analisando nos campos interacionais que se estabelecem em torno de certas questões pertinentes ao desenvolvimento. Tais campos interacionais de transferência/contratransferência são muito parecidos com aqueles existentes em outros relacionamentos humanos, exceto no fato de que, no relacionamento terapêutico, o foco se concentra inteiramente nos analisandos, na tentativa de entendê-los e ajudá-los a mudar. Aqui analisarei principalmente as atitudes materna e paterna que vivenciei no trabalho com jovens mulheres que se encontram no primeiro estágio de desenvolvimento do *animus*.

---

* **Florence L. Wiedemann**, Ph.D., presidente da Analytical Psychology Association de Dallas e secretária da Inter-Regional Society of Jungian Analysts, tem consultório particular em Dallas, Texas. Graduada pelo Health Science Center da University of Texas e diplomada analista junguiana pela Inter-Regional Society of Jungian Analysts, ela é professora-adjunta da Southern Methodist University e, no momento, participa como coautora da elaboração de um livro intitulado *Female Authority*.
© 1984 Chiron Publications

Depois de observar muitos sonhos de mulheres os quais giravam em torno de questões como autoridade e competência e de relacionamentos com homens, formou-se na minha mente um padrão. Ao mesmo tempo, Polly Eisendrath-Young estava observando e descrevendo imagens e estágios semelhantes de desenvolvimento do *animus*. No momento, estamos escrevendo um livro no qual examinamos essas questões. O presente ensaio é parte dessa empreitada de maior fôlego.

Em primeiro lugar, uma definição: por *animus* entendo a tendência nas mulheres que dirige a atenção para a realidade; um espírito empreendedor de coragem, determinação e vigor que vai em frente com força e autoridade. Essas qualidades do *animus* permitem que a mulher seja eficiente, forte e competente em sua atuação no mundo. Além disso, o *animus* significa a relação sentimental de uma mulher com um homem, com os homens em geral, com a cultura patriarcal e com a vida espiritual. Para as mulheres, o funcionamento do *animus* ocorre intrapessoal e intrapsiquicamente e em relação à cultura em seu sentido mais amplo.

A noção junguiana clássica de desenvolvimento do *animus* pressupõe desenvolvimento "normal" do ego e da identidade na primeira metade da vida, seguido de uma crise que leva ao desenvolvimento da segunda. O *animus*, como desenvolvimento da segunda metade da vida, é visto como a função que liga a consciência do ego ao inconsciente, ligando a mulher à realidade de sua vida psicológica profunda e espiritual.

Em termos espirituais, o *animus* pode ser considerado um complexo de núcleo arquetípico que ganha forma à medida que a diferenciação eu-outro ocorre nos três primeiros anos de vida. Idealmente, à medida que uma garota vai crescendo, o desenvolvimento de seu ego se processa ao lado do de seu *animus*: a identidade feminina e o desenvolvimento do *animus* avançam juntos. Quanto mais se reprime o elemento contrassexual do *animus*, mais a garota se aliena de sua noção de autoridade e mais ela vê o masculino como "o outro estranho e perigoso".

Conforme a observação clínica, os estágios de desenvolvimento do *animus* correspondem a temas mitológicos; além disso, cada estágio está associado a uma determinada atrofia ou patologia do desenvolvimento. O primeiro estágio, que será descrito neste ensaio, é denominado "O *animus* como forasteiro". Nele, a relação da mulher com seu potencial masculino inconsciente é tão pouco desenvolvida que o mundo da autoridade e das figuras masculinas está repleto de ameaças. A isso ela reage com desconfiança e medo. Mitologicamente, esse estágio se reflete no tema de Perséfone, a jovem filha de Deméter que foi raptada por Hades, deus do mundo subterrâneo e irmão de Zeus.

As imagens subsequentes do desenvolvimento do *animus*, que não serão discutidas aqui, mas, sim, no livro em que trabalho com Polly Eisendrath-Young, são "O *animus* como pai, deus, patriarca"; "O *animus* como jovem, herói e amante"; "O *animus* como parceiro interior" e "O animus como andrógino". Cada estágio é representado por um tema mitológico, que retrata a experiência e a integração do *animus* e indica seus esteios arquetípicos e de desenvolvimento.

Hoje, para os estágios finais, as mulheres estão formando uma nova imagem arquetípica. Já que a humanidade vem evoluindo desde eras pré-históricas, não há nenhuma razão para pensarmos que ela chegou ao ponto final do desenvolvimento consciente. Recentes descobertas da biologia e da física quântica sugerem que a expansão do consciente coletivo exerce influência sobre o inconsciente coletivo e vice-versa. As novas formas de relacionamento que as mulheres vêm encontrando consigo mesmas, com as outras, com os filhos, os homens e a cultura em seu sentido mais amplo vêm sendo forjadas por centenas de milhares de pessoas na contemporaneidade. Essas mulheres estão criando o padrão do "*animus* como andrógino".

Na primeira fase, porém, a mulher tem uma relação conflituosa com o masculino, tanto o interior quanto o exterior. Nos sonhos, as imagens dos homens são tipicamente de estupradores, assassinos, membros de gangues de motociclistas ou figuras que assustam e perseguem. No universo social e profissional, ela carece da noção de competência, autodisciplina, autossegurança e importância. Nos relacionamentos com homens reais, ela se sente sobrepujada, invadida e explorada e, de fato, ela muitas vezes o é. Inúmeros problemas conjugais estão associados a essa fase, já que não há confiança no masculino interior nem no exterior.

Neumann (1959) denominou "autoconservação" essa fase inicial da conscientização da mulher. Na fase da autoconservação, é característico que a mulher permaneça psicológica e muitas vezes sociologicamente num grupo feminino, como um clã materno, e que mantenha relações primárias com grupos de mães ("acima") e com os grupos de filhas ("abaixo"). Esse apego ao vínculo feminino coincide com a dissociação do masculino e com a sensação de alienação em relação a este (Neumann, 1959, p. 63). Os problemas típicos dessa fase têm que ver com a sensação que a mulher tem de ser fraca, "bruxa" ou monstruosa.

Mulheres presas em campos de concentração, possuídas por amantes demoníacos, perseguidas por ladrões e estupradores – tais são os motivos oníricos típicos. O demônio que a possui odeia Deus e a vida. Essa mulher talvez se sinta como que vivendo num mundo em que não tem direitos e ao qual não pertence. Ela se sente desvalorizada e marginalizada; ela não tem confiança; se vê como gorda, burra, incapaz de expressar-se; ela não consegue viver uma vida autêntica. O masculino negativo dedica-se a criticá-la: diz-lhe que ela é velha, mal-amada, pouco criativa e inútil, o que a impede de confiar em seu próprio valor.

A mulher que vê os homens como "estranhos forasteiros" constela reações e atitudes de transferência e contratransferência previsíveis no tratamento com uma analista. Estas são as atitudes típicas da mãe, do pai, da professora e da irmã.

Tal analisanda ainda está inserida numa relação simbiótica mãe-filha, e isso faz com que ela tenha uma noção muito fraca de identidade separada, individual. Essa falta de separação do complexo da mãe, acrescentada à força do complexo negativo masculino, paralisa a mulher. Ulanov (1979) comenta: "Algo na filha não foi alimentado, não foi acalentado, não foi visto por mãe, pai, escola, garotos e outros" (p. 21). Por conseguinte, o papel de mãe-Deméter da analista é, em parte, dar um retorno de intuição clínica acerca de quem é a "filha bebê". A escuta reflexiva e empática e a observação de sonhos constituem a base inicial do acalentar, alimentar, espelhar, aceitar e refletir-lhe de volta a sua identidade. O estabelecimento de uma boa relação de comunicação emocional dá espaço para que o ego incipiente cresça e, posteriormente, esse mesmo vínculo torna-se a base que requer dela ação e mudança. Além disso, eu lhe apresento os resultados de testes clínicos: o Inventário de Interesses Strong-Campbell (Strong e Campbell, 1976), que lhe mostra seus interesses; o Indicador Tipológico Myers-Briggs (Briggs e Myers, 1979), com explicação de seu tipo psicológico, e leituras de *Gifts Differing* (Myers e Myers, 1980) e *Please Understand Me* (Kersey e Bates, 1978); os resultados do Inventário Multifásico de Personalidade de Minnesota (MMPI/Minnesota Multiphasic Personality Inventory; Hathaway e McKinley, 1966).

Tendo sido rejeitadas ou superprotegidas (ou ambas as coisas), essas analisandas têm uma tremenda carência de alimento emocional. Elas se mostram muito carentes de afeto, espelhamento, atenção, "acalento" e incentivo. Elas apresentam ainda uma deficiência na capacidade de ingerir e assimilar o alimento que lhes é dado. Parecem eternamente famintas, e a análise pode tornar-se uma sucessão interminável de "refeições" que não levam a nenhuma mudança, particularmente se a analista se identifica com a mãe arquetípica. A ansiedade da analisanda acerca da identidade pode paralisar a terapeuta.

Essa ansiedade engendra docilidade, apego, impotência e uma pungente busca de apoio, alimento e conforto. Essa mulher sente-se inferior e evita tomar a iniciativa ou demonstrar autodeterminação. Exceto pelo desejo de ser aceita e pertencer, ela se abstém de exigir algo dos outros.

Essas mulheres submergem a própria individualidade, subordinam seus gostos e desejos, negam quaisquer vestígios de identidade à parte que possam possuir e muitas vezes se submetem a abusos e intimidações, tudo na esperança de evitar o isolamento. Às vezes elas não têm escolha – financeiramente dependentes, sobrecarregadas pelo cuidado dos filhos, despreparadas acadêmica e profissionalmente, sentem-se vazias e paralisadas se entregues a seus próprios recursos. Buscam orientação no cumprimento das tarefas mais simples e na tomada de decisões rotineiras.

Indivíduos passivos e dependentes como esses em geral esperam que surja alguém mágico e todo-poderoso que as ajude, um parceiro em quem confiem, que lhes dê os poucos confortos que querem e que as proteja para que não tenham de assumir responsabilidades nem enfrentar as competições da vida. Se ganharem esse parceiro, elas ficam muito bem, tornam-se sociáveis, afetivas e generosas. Sem ele, porém, se retraem e tornam-se tensas, desanimadas e desamparadas. Em geral, os homens que são atraídos por elas são igualmente dependentes, mas costumam abusar de suas mulheres.

A falta de confiança em si mesmo é evidente na postura, na voz e nas maneiras dessas mulheres. Elas tendem a ser demasiado cooperadoras e preferem ceder e apaziguar a afirmar-se. Odeiam grupos grandes e "escândalos". Fazem tudo que está a seu alcance para evitar chamar a atenção, inclusive esconder seus atrativos e realizações.

Os amigos costumam vê-las como generosas e solícitas, mas um tanto contritas e servis. Os vizinhos e colegas impressionam-se por sua humildade, cordialidade e gentileza, além da doçura e "suavidade" de seu comportamento.

Todavia, por trás de toda essa afabilidade, há uma face queixosa e solene que está em busca de garantias de aceitação. Essas características manifestam-se com maior clareza quando ela está sob tensão. Aí surgem sinais mais ostensivos de impotência e dependência; algumas vezes abertamente verbalizados.

Embora essas características de baixo grau de desenvolvimento do *animus* possam estar presentes em muitos tipos psicológicos, sua ocorrência mais frequente parece coincidir com a do tipo introvertido, intuitivo, sensível, perceptivo (INFP)[1]. Cada tipo é vulnerável a algum tipo de patologia. A força desse tipo de mulher é predominantemente de afiliação, mas ela apresenta pouca capacidade de relacionar-se com o mundo. Incapaz de orientar-se por fatos, de produzir ou emitir julgamentos e de tomar decisões com segurança, essas mulheres – ao contrário das mulheres mais "andróginas", aparentemente mais capazes de usar tanto os processos de tomada de decisão quanto os de afiliação e de passar do pensamento ao sentimento, conforme a situação – parecem fora de seu elemento nas situações que exigem maior grau de desenvolvimento do *animus* e de funcionamento do ego (Padgett et al. 1982).

Por ainda estarem mergulhadas naquilo que se pode chamar de "a mãe", as mulheres classificáveis como INFP têm dificuldade em distinguir sua própria identidade da identidade da mãe. A relação com os aspectos maternais, receptivos, da analista pode libertar suficientemente essa mulher de sua própria mãe para que ela possa redefinir por si mesma algumas dessas qualidades. O período de amor, aceitação e espelhamento da "menina" pode estender-se por vários anos.

A maioria de minhas pacientes que pertencem a esse tipo tem menos de 35 anos. No IMPM, a escala 2, a da Depressão, e a escala 0, a da Introversão-Isolamento, são muito elevadas, mais de dois desvios padrão acima do normal. Isso sugere que elas são demasiado sensíveis às críticas, tendem a ser solitárias e ter relações interpessoais pobres, e se sentem impotentes e incapazes de mudar. Elas têm uma enorme necessidade de afeto, o que se reflete numa elevada escala 3 no IMPM.

---

[1] INFP em inglês; *Introverted, Intuitive Feeling, Perceptive Type*. (N. da T.)

No pior dos casos, a depressão e o isolamento promovem retraimento e características esquizoides. Em geral, a sintomatologia de conversão faz parte do quadro, com o corpo apresentando lassidão e indisposição; além disso, *globus histericus*, anorexia e outros sintomas psicossomáticos não são incomuns. Esses problemas somáticos refletem a relação com o complexo de mãe (conforme Marion Woodman, 1980, 1982). A escala 4 do IMPM – que indica agressividade, raiva, rebeldia, determinação, disciplina – é frequentemente reduzida, o que sugere incapacidade de expressar a agressividade de outra forma que não a passiva. Tais táticas agem contra ela própria e fazem seus relacionamentos pessoais piorarem, ao mesmo tempo em que aumentam seu sentimento de inferioridade e solidão.

As jovens mulheres que se enquadram nesse tipo apresentam um negativo complexo da mãe. Seu contato com a mãe jamais foi realista ou positivo o bastante – o que as faz ir em busca de uma situação ideal – ou então elas tiveram uma mãe dominadora, que não deixava a filha viver a própria vida. Essas mulheres geralmente afirmam que a mãe foi sua melhor amiga, insistindo em que ela era perfeita e que a relação delas era maravilhosa. Muitas vezes, elas procuram a terapia depois que a mãe morre, quando a simbiose se rompe e a menina está psiquicamente sangrando até a morte.

A seguir, relato o sonho de uma jovem em início de análise que se ajusta à descrição esboçada:

> Sonho: *Eu estava pegando Tom no aeroporto. Meu pai e meu irmão também estavam lá. O irmão de meu pai era quem conduzia o carro que nos levava de volta para casa. Ele caiu numa vala. Eu sofri muitos ferimentos e gritei: "Vejam se Billy [de 14 anos] e Christy [de 8 anos] estão bem!" Nós os retiramos do carro, mas eles não eram gente – eram umas coisas compridas, como casulos. Havia três dessas coisas; o mais escuro era Billy, o mais claro era Christy. Nós abríamos os dois e eles não eram humanos. Eram*

lombrigas grandes, como larvas. A de Christy estava cortada e sangrava; eu tentava ver se ela estava viva. Não abri o terceiro casulo, mas ele era menor, como se fosse uma larva- bebê. Eu olhava o ferimento. Estaria viva? Ela estava viva, mas eu não sabia a profundidade do corte nem se ela sobreviveria.

Em associação à ferida larva de Christy, a analisanda disse que queria livrar-se da ferida interior. O sonho me sugeriu o lapso de desenvolvimento em três estágios: o bebê, a menina e o jovem *animus*, cuja formação e cura teríamos de promover.

A mãe vivida por essa jovem "amara demais", acalentara-a por demasiado tempo, a abraçara e prendera, deixando-a com a ideia de que o mundo era o "Jardim do Éden". Com isso, ela se havia desencantado da realidade. Há outras analisandas cuja vivência é a da mãe que rejeita, que jamais olha com verdadeira alegria o rosto do bebê e nunca lhes fornece um reflexo de seu valor. Para contrabalançar isso, a analista deve ser a mãe que vê o valor da analisanda e a conecta ao *Self*. À medida que esta se desenvolve, a analista deve liberá-la e incentivá-la a partir, libertando-a da relação mãe-filha de modo que ela possa tornar-se uma mulher e uma mãe.

Enquanto a transferência positiva – na qual a filha ama a mãe – continua, tudo vai bem. Ao refletir para ela o *Self*, não apenas sinto empatia ao ouvir-lhe a história, mas também intuo qual o tipo de pessoa essa INFP se tornará quando se desenvolver. Vejo-lhe o futuro. Potencialmente, ela pode ser uma escritora, uma psicóloga, uma artista ou uma educadora – ou senão uma dançarina, uma decoradora de interiores, uma atriz. Essas são áreas em que os imaginativos, como são elas próprias, podem ter sucesso; áreas para pessoas reflexivas, inquisitivas, empáticas, leais e idealistas, pessoas mais interessadas nas possibilidades que nos aspectos práticos. Pessoalmente, valorizo muito esse tipo de gente; assim, para mim é fácil amá-las, aceitá-las e refletir para elas o futuro.

A analista geralmente é alvo de projeções idealizadas dessas mulheres. Ela é vista como poderosa, única e admirável. Evidentemente, o desfrute dessas projeções é tentador, mas a analista não deve deixar que este se prolongue. A depressão absoluta da filha logo a fará sentir que não é nada poderosa. Enquanto a analisanda investir toda a sua força na projeção, continuará deprimida e impotente, e essa impotência se estenderá também à analista. A dissociação entre a força e a impotência não traz nenhuma mudança positiva para a analisanda. À medida que ela adia um posicionamento a respeito dos problemas, sua passividade e ambivalência diante da analista e da vida tornam-se claras. Sua falta de vontade de renunciar aos sonhos pouco realistas e partir para a realidade, sua "fobia" de compromissos e seu comportamento passivo-agressivo finalmente criam na analista sentimentos contratransferenciais negativos. Tais sentimentos têm origem narcísica, claro, na medida em que a analista se identifica com o agente que cura ou com o complexo positivo da mãe e espera que todas as analisandas melhorem e cresçam. Naturalmente, esse é o lado complementar do complexo negativo da mãe que possui a analisanda. A sensação de ser rejeitada pela analista e o desejo insatisfeito de ser única e especial transparece em sonhos nos quais a analista tipicamente tem filhos ou pacientes em excesso, tem um amante ou está almoçando enquanto atende a analisanda.

Agora a analista está diante da tarefa de orientar essa filha-menina para a aceitabilidade social e desviá-la de sua absoluta preocupação consigo mesma. Assim como as mães boas o bastante, uso a transferência idealizadora para socializar as analisandas. Ao agregar o ego nascente, essa mulher se distancia do excesso de ruminação. Se ela não age à altura das expectativas e não se relaciona com o mundo, a consequência é o meu desagrado. Já que este reconstela antigas experiências de ansiedade de separação, trabalhamos com os sentimentos despertados para termos mais disposição para correr riscos.

Após introjetar a criança amada da forma refletida pela atitude e pelo olhar da mãe amorosa, a analisanda pode deixar a absorção em seu mundo interior e passar aos relacionamentos. Ela interioriza as condições necessárias à autoestima quando vivencia a aceitação e o amor numa relação importante com uma figura de mãe idealizada. Quando chegamos à segunda etapa, começo a impor requisitos para o amor e a aceitação: ela tem então de ganhá-los criando, decidindo, produzindo e relacionando-se. Aqui começa o processo da "criação pelo pai".

A transição do papel de mãe para o de pai, quando a analista começa a usar a relação comunicativa anteriormente estabelecida para ensejar determinados comportamentos da parte da analisanda, não transcorre sem resistência. Delineia-se uma espécie de jogo, no qual a analisanda espera ser alimentada ao tempo em que passiva e agressivamente recusa-se a assimilar o alimento que a fará crescer. Quanto mais se demora no papel de nutriz de Deméter, mais a analista sente a teimosa resistência e as características passivo-agressivas que subjazem ao comportamento da menina doce, obediente e boazinha que só queria agradar e ter uma mãe que a amasse. Tem lugar um processo turbulento, similar ao que o anoréxico faz com a comida. O objetivo desse anseio premente de amor e incentivo é entrar em fusão com a mãe-analista, com quem a analisanda se identifica. Por meio dessa identificação, a analisanda ganha autoestima, força e poder. Porém, para mantê-los, ela deve tornar-se quem controla, quem mantém e quem recusa, aquela que tem controle absoluto sobre o alimento que é servido e consumido. O marido é submetido a controle semelhante, para evitar deveres domésticos, responsabilidades financeiras e o desejo dele por relações sexuais.

Se a analista se prender ao papel arquetípico de Deméter, não tardará em ser rejeitada por comentários como: "Não acho que a terapia funcione"; "Não sei aonde estamos indo"; "Não entendo qual o efeito disso"; "Quais os objetivos que devemos cumprir na próxima etapa?";

"Não entendo o que os sonhos têm a ver com isso". Quando surgem essas dúvidas e sentimentos negativos em relação ao alimento da mãe, é fácil que a analista sinta raiva. Por que a analisanda não está melhorando? Na grande identificação com a mãe arquetípica, a analista narcisicamente exige que a filha-analisanda se torne uma "filha ideal".

Após haver rejeitado a terapia dessa forma, a analisanda sente-se culpada e receia o compreensível desânimo, frustração e raiva da analista. A analisanda se vê como aquela que destruiu a mãe que a alimentava. A resistência a alimentar-se e a começar a demonstrar competência, a "crescer", é uma resistência a tornar-se mulher e a ter de aceitar responsabilidades.

A luta pela autonomia pela resistência ao alimento é, em certo sentido, saudável, pois é uma rebeldia contra a passividade e a impotência. Muitas das mulheres jovens rebelam-se contra os papéis de mãe e dona de casa, achando que estes não lhe fornecem identidade individual. Na rebeldia verificada na mulher que chega aos dois primeiros anos – que diz: "Você não pode controlar-me; quem me controla sou eu" – está-se formando uma identidade e, com ela, a sensação de poder influenciar os outros e controlar a vida. Essa mulher simplesmente não deixa que ninguém a force a nada. Se ela for casada e tiver filhos, resiste às tarefas domésticas, a controlar o orçamento familiar e a ter relações sexuais com o marido: tais são seus meios passivo-agressivos de reclamar autoridade. Os papéis de mãe e esposa, que lhe reforçam o medo de ser passiva e impotente, não conseguem fornecer-lhe uma identidade boa o bastante. Como nossa cultura atribui tão pouco *status* e poder a esses papéis, seus medos não são infundados.

Ela deve vivenciar e conscientizar-se desse sistema de crenças e padrão de comportamento negativos a fim de poder decidir se lhes dá continuidade ou não; do contrário, a única alternativa é a regressão para um lugar ainda mais infantil, que a faz esperar ser alimentada, ou para fantasias de autoaniquilação. Aqui, aparentemente, não há nenhuma boa alternativa à transformação no bebê – que procura agradar – ou na rebelde – que tenta resistir. Assim, os rebeldes sentimentos de raiva e a necessidade de poder e controle estão nos primórdios da manifestação das energias masculinas que levam ao desenvolvimento do *animus*. A autoridade, o controle, a competitividade, a autossegurança, a competência e a eficácia agêntica são prerrogativas do *animus*. Portanto, essa fase negativa é precursora do desenvolvimento do *animus*. Ao passar por ela, a mulher desenvolve a capacidade de raciocínio independente, e isso lhe permite analisar os fatos, raciocinar logicamente, fazer seus próprios julgamentos e tomar decisões com base na experiência. Ela aprende a expressar-se e a agir no mundo.

Se a mulher não vivenciar primeiro a satisfação mais primitiva do desejo de agradar a mãe, pode surgir um medo primordial da morte e a regressão ao pensamento inconsciente e irracional. Revivendo esse medo na terapia, ela será capaz de deixar o reino subterrâneo de Hades. A filha adolescente retorna à mãe, já pronta para adotar novos comportamentos e mostrar-se ativa no mundo.

Gostaria de tecer alguns comentários sobre o modo como a tipologia se relaciona ao desenvolvimento do *animus*. A partir da observação de cerca de trinta dessas mulheres ao longo dos últimos anos, parece-me que o primeiro estágio desse desenvolvimento ("o rapto de Cora") coincide com o tipo INFP. Naturalmente, ele não se restringe unicamente a um tipo. Padgett et al. (1982) confirmam em parte essa observação clínica num artigo publicado em *Research in Psychological Type*. Eles descobriram que certos tipos são mais andróginos, ao passo que outros são mais propensos a assumir características sexualmente estereotipadas. As conclusões são diferentes conforme o sexo, mas a dimensão pensamento-sentimento parece ter importância crítica para a androginia.

A determinação do papel sexual tem recebido muita atenção da pesquisa psicológica, assim como da imprensa de modo geral. A masculinidade e a feminilidade já não são vistas como dimensões mutuamente exclusivas da personalidade ou do comportamento. Até mesmo os manuais de introdução à psicologia agora discutem a androginia como um componente importante nas diferenças individuais de personalidade. Fizeram-se comparações entre indivíduos andróginos e aqueles tipificados conforme o sexo para verificar indicadores como comportamento expressivo × decisivo e níveis de autoestima, independência e ajustamento geral. A androginia representa a capacidade de adotar um amplo leque de comportamentos, não limitados por normas culturais nem por estereótipos de papéis sexuais. Essa flexibilidade se reflete em inúmeras características de personalidade que diferenciam os andróginos dos indivíduos classificáveis segundo o sexo. Examinando-se tais diferenças em termos das quatro dimensões de personalidade do Indicador Tipológico Myers-Briggs, há fortes indicações de que a dimensão pensamento-sentimento possa evidenciar uma característica andrógina conforme mensurada por Sandra Bem (1974) por meio do Indicador de Papéis Sexuais BEM. Embora a maior parte das mulheres andróginas e das tipificáveis conforme o sexo se descreva como pertencente ao tipo sentimento, uma proporção significativamente maior de mulheres andróginas foi caracterizada, de acordo com o Indicador Tipológico Myers-Briggs, como pertencente ao tipo pensamento ou, ao menos, como aparentemente capazes de raciocinar e sentir segundo a situação.

Evidentemente, a personalidade que estou descrevendo como INFP no primeiro estágio de desenvolvimento do *animus* é determinada por múltiplos fatores. Além dos acima discutidos, há provavelmente um componente biológico. William Sheldon (1940) descreve os endomorfos ectomórficos como caracterizados por empatia compassiva, abnegação e renúncia cristã, ao passo que os ectomorfos endomórficos seriam caracterizados por seu desinteresse e desapego. Assim, o tipo corporal se ajusta ao quadro que estou descrevendo. A mulher classificável conforme esse tipo, o endomorfo ectomórfico, relata estado de fadiga crônica, com o menor esforço provocando necessidade de descanso. A rotina normal a deixa exausta e ela hesita em encarregar-se de qualquer nova tarefa que possa pô-la à prova. Concomitantes à simbiose mãe-filha e à falta de agenciamento do *animus* são as sensações de ansiedade, fraqueza, vulnerabilidade e opressão.

Essas mulheres costumam apresentar o mesmo tipo corporal e o mesmo comportamento de suas mães. Também elas se retraem e carecem de autoconfiança e do dom da organização, bem como de relação com o mundo. Geralmente o eu da mãe se esconde por trás da conformidade e da necessidade de atender às exigências e expectativas alheias, mesmo que ela experimente resistência a essas demandas.

A analista pode estimular um avanço normal em direção à competência e ao domínio do meio ambiente incentivando essas mulheres a aceitar desafios e novas empreitadas, exigindo-lhes responsabilidade e estimulando-as a assumir sozinhas novas atividades. Nesse estágio, a analista encena o papel de pai-professor. Aqui é crucial que ela não seja a "tela em branco", deixando de fornecer orientação ou aconselhamento. Esse lado paternal da relação terapêutica é necessário ao desenvolvimento do *animus* nesta fase. É essencial que a analista não reaja a esse tipo de analisanda considerando-a frágil, propensa a doenças ou fraca e inferior em algum sentido. A analista pode ensinar-lhe novas maneiras de ampliar a sua esfera pessoal e organizar-se. Exigem-se novas formas de obter satisfação na vida. Nesse momento, é recomendável uma "biblioterapia" com livros práticos, já que essas mulheres precisam de informação para adquirir novas habilidades.

O objetivo da terapia é dar à analisanda a impressão de que vale a pena viver. Isso é conseguido quando ela aprende a funcionar dentro de grupos sociais e começa a sentir sua capacidade para o trabalho criativo, bem como a sentir que importa para os outros. À medida que seu vocabulário em termos de significado e potencial de autoexpressão aumenta, ela vê com maior nitidez quem de fato é, quem são os outros, o que é a vida e o que precisa fazer. O desenvolvimento da personalidade em toda a sua riqueza pode ocorrer a partir desse novo centro de identidade. A terapia, nesse sentido, torna-se educação para que a paciente vivencie a si mesma de modo diferente do que fazia e se liberte da sensação de inutilidade. Se a terapeuta se sai bem em sua tarefa de ser a mãe, a jovem pode fortalecer bem o ego feminino. Se faz o mesmo em relação à sua tarefa de pai e professor, ela ganha competência e se liberta da negativa identificação com a impotência, o masoquismo e a desesperança.

No curso da terapia, as figuras de *animus* lentamente deixam de ser figuras masculinas destrutivas e abusivas para tornar-se úteis, ativas e seletivas. As figuras ameaçadoras dos sonhos tornam-se homens de previsão e iniciativa que levam seus planos a cabo.

Uma das metas da terapia é reviver antigos problemas de controle, que consistem nas primeiras débeis tentativas de autonomia, e reorientá-los para áreas mais produtivas a fim de facilitar o crescimento. O papel da analista é ajudar a paciente a fortalecer o ego o bastante para viver uma vida adulta e a ganhar a competência necessária para obter o que quer da vida, além de desestimular seu comportamento passivo-agressivo pelo confronto direto. A meta é assistir essa mulher na mudança de seu sentimento de amor-próprio. Sua atitude normal é considerar-se fraca, burra e cheia de defeitos. Sua única fonte de validação vem "de fora". A nova pressuposição é a de que ela é capaz de ser amada e valorizada, não necessariamente como igual, mas como irmã ou colaboradora apreciada, e de que a força está dentro dela mesma.

A analisanda pode sentir raiva da analista e configurar transferência negativa quando quer permanecer apenas recebendo o alimento sem dar nada em troca. Ela nega à analista a recompensa de saber que lhe foi útil; precisa desanimá-la frequentemente com mensagens do tipo: "Seu leite é azedo" ou "demasiado escasso". Essa analisanda necessita ter certeza de que seu amor/"leite" é bom para poder gostar de dá-lo. Antes disso, precisará aprender a dar aos outros, à família, às pessoas que conhece, ao marido, à analista.

Coisas simples como lembrar o nome das pessoas foram uma das primeiras tarefas que teve de aprender uma paciente anoréxica com esse perfil. Ela nunca se lembrava do nome de ninguém, quer no trabalho, quer em situações sociais. Passou meses até conseguir lembrar o de minha secretária. Esse tipo de habilidade interpessoal reduzida naturalmente reforça o isolamento e transmite distanciamento. Essa categoria de paciente que escolhe essas pequenas batalhas para provar sua autonomia precisa do confronto da analista-pai, que lhe mostrará que há coisas mais úteis para controlar. O desenvolvimento da iniciativa é crucial. Não é fácil fazer com que uma mulher com esse perfil imagine algo que possa tornar-se ou algo a que possa se dedicar dentro de parâmetros realistas. Os sonhos são grandiosos e muito além de sua capacidade real. Porém, é fundamental que ela aprenda a dar pequenos passos rumo a um objetivo, seja ele o de voltar à faculdade, fazer um curso de cerâmica, continuar nas aulas de dança ou vender o que produz. A faceta paterna da analista a orienta no contato com o mundo.

A terapia de grupo pode reforçar o incentivo para que ela conheça outras pessoas, aprenda que tem algo a oferecer e que não é socialmente inferior, perceba que pode ser ela mesma e, ao mesmo tempo, dar-se aos outros e aceitar críticas sem suscetibilidade desproporcional. Além da análise individual, estimulo essas jovens a participar de grupos que a façam conscientizar-se de seus padrões de comunicação e aprender novos padrões. Sua atitude típica no grupo é negar-se a si mesma, deixar que escolham por ela, ficar calada, sentir-se magoada e ansiosa. Os integrantes do grupo se sentem culpados por não poderem ajudá-la e têm raiva por ela não se entregar. Ela permanece passiva, recatada, retraída, chorosa e isolada. O grupo a faz ver, com sua culpa e sua raiva, como nessa posição ela detém o poder e como consegue o que quer às custas dos outros, como afasta de si a ajuda que as pessoas gostariam de dar-lhe, da mesma forma que se afasta do alimento que lhe proporciona a analista. Fica clara a maneira como induz as pessoas a uma situação de tudo ou nada. Na suposta posição de desvantagem com relação aos integrantes do grupo ou à analista, de fato ela é a mais poderosa.

Na terapia de grupo, a meta para essa paciente é aprender a ser segura de si, a confrontar os outros, a revelar quem é, a escolher por si mesma, a dizer o que quer e a ceder se não puder obtê-lo. Desse modo, ela e os demais poderão ter respeito uns pelos outros e partilhar o poder a começar da disposição de ceder para construir o relacionamento. Transmitindo essas atitudes, ela consegue relacionar-se e ter uma vida útil. No grupo, ela adquire os dotes sociais para ter poder no mundo (isto é, para ser seu próprio "pai").

Como todas as mulheres, essas também viveram o estupro psicológico do "masculino" na nossa cultura. A cura vem com o reconhecimento desse estupro e com o luto por ele. A empatia da relação entre irmãs proporcionada pela análise provém da admissão da dor e da tristeza pelas feridas impostas a meninas e mulheres que crescem em nossa cultura onde "quem sabe é o pai". O poder político e social é inerente ao ser masculino. Verificam-se sucessivos estupros psíquicos quando as mulheres entram nas instituições – controladas pelos homens – de nossa cultura, na qual as meninas sofrem abuso sexual e as mulheres, estupro real. A raiva por trás da posição deprimente dessa mulher só pode ser enfrentada se outras mulheres lhe derem compreensão e apoio. Portanto, nesse momento a transferência/contratransferência deve assumir um caráter mais fraternal, refletindo o apoio de um vínculo entre duas irmãs, em vez do alimento da mãe-Deméter amorosa ou a exigência de iniciativa do pai-Zeus e professor. Porém, a empatia da irmandade não é regressiva: ela requer que as irmãs atuem de maneira adulta enquanto compartilham alegria e apoio. Se a analista não houver trabalhado a raiva por seu próprio "estupro" ao longo das diversas fases de seu desenvolvimento, analista e analisanda poderão regressar a uma raiva primordial dos homens, vista por vezes em certos tipos de relações lésbicas e certas feministas "inflamadas", "presas".

Além da transferência/contratransferência de irmãs, surge uma de colegas e amigas, na qual geralmente se verifica a colaboração com uma analisanda. Eu costumo estimular a participação em outros grupos de apoio, de forma que o sistema de apoio da irmandade se estenda a uma faixa maior de mulheres.

Em resumo, o primeiro estágio de desenvolvimento do *animus* na terapia requer que a mulher possa sentir-se dependente de uma figura forte que a espelhe e alimente (mãe). Em seguida, ela precisa ser incentivada a sentir-se capaz de se fortalecer, de se controlar e de contar consigo mesma, o que a leva à certeza de causar impacto sobre os outros (a fase do pai/professor). Ela se torna poderosa porque descobre que pode controlar a si mesma e influenciar os outros. Um terceiro estágio de transferência/contratransferência surge quando ela sente a empatia de uma "irmã" pelo menosprezo e pelo estupro do feminino que promoveram nossa impotência. Num estágio bem posterior, quando o desenvolvimento do *animus* houver atingido níveis mais altos, a meta da terapia torna-se o reconhecimento de si mesma como instrumento de uma autoridade superior à qual ela pode subordinar-se com vistas a um objetivo não egoísta.

O estágio final, para além das dicotomias preto/branco, masculino/feminino, bem/mal, leva a uma posição em que se consegue ver simultaneamente as várias facetas de uma questão e reconhecer um padrão de inter-relacionamento. Aqui o paradoxo é compreendido e aceito, pois o desejo é conservar a vida e tomar parte nela. Quando uma mulher consegue integrar sua experiência de vida a ponto de expressar plenamente seu ser feminino, ela possui plena identidade e é produtiva tanto para os homens quanto para as mulheres. A compaixão, o senso de humor e a humildade são as marcas desse estágio (conforme Wiedemann, 1982). Algumas mulheres atingiram esse plano mais alto, que é, de modo geral, um ideal para o qual estão se voltando as mulheres, em nossa luta pelo desenvolvimento do *animus*, aos poucos rumo à mulher integrada cuja noção de validação e autoridade provém de uma parceria interior entre compaixão e força, afiliação e competência. A *coniunctio* entre o feminino e o masculino de sua personalidade a traz de volta à comunidade em que ela pode dar de si com fé e lealdade.

Referências

BEM, S. 1974. "Measurement of psychological androgeny". *Journal of Consulting and Clinical Psychology* 42:155-162.

BRIGGS, K. C. e MYERS, I. B. 1979. *Manual: The Myers-Briggs Type Indicator*. Palo Alto, Calif.: Consulting Psychologists Press.

EISENDRATH-YOUNG, P. e WIEDEMANN, F. L. 1984. *Female Authority*. Manuscrito submetido à publicação.

HATHAWAY, S. R. e McKINLEY, J. C. 1966. *Minnesota Multiphasic Personality Inventory*, org. rev. Nova York: Psychological Corporation.

KERSEY, D. e BATES, M. 1978. *Please Understand Me*. Del Mar, Calif.: Prometheus Nemesis Books.

MYERS, I. B. e MYERS, P. B. 1980. *Gifts Differing*. Palo Alto, Calif.: Consulting Psychologists Press.

NEUMANN, E. 1959. *The Psychological Stages of Feminine Development*. Dallas: Spring Publications.

PADGETT, H. V.; COOK, D.; NUNLEY, M.; CARSKADON, T. 1982. "Psychological type, androgeny and sex-typed roles". *Research in Psychological Type* 5:69-77.

SHELDON, W. 1940. *Varieties of human physique*. Nova York: Harper.

STRONG, E. K. e CAMPBELL, D. P. 1976. *Strong-Campbell Interest Inventory*, org. rev. Palo Alto, Calif.: Stanford University Press.

ULANOV, A. 1979. "Fatness and the female". *Psychological Perspectives* 10/1:21.

WIEDEMANN, F. 1982. "The masculine and feminine cooperating and the evolution of human consciousness". Ensaio não publicado apresentado em encontro da Inter-Regional Society of Jungian Analysts, Galveston, Texas.

WOODMAN, M. 1980. *The Owl Was a Baker's Daughter: Obesity, Anorexia Nervosa, and the Repressed Feminine.* Toronto: Inner City Books. [*A Coruja Era Filha do padeiro – Obesidade, Anorexia Nervosa e o Feminino Reprimido*. 2. ed. São Paulo: Cultrix, 2020.]

WOODMAN, M. *Addiction to Perfection: The Still Unravished Bride*. Toronto: Inner City Books.

A Política da Editora Chiron Quanto à Questão da Grafia do Termo *"Self"* com "S" Maiúsculo

A forma como Jung via o *Self* difere significativamente da forma como o termo geralmente é usado na literatura de outras correntes psicanalíticas contemporâneas. A diferença depende principalmente da compreensão dos arquétipos: a conceitualização junguiana do *Self* o vê como baseado na dimensão transpessoal, daí o frequente uso da maiúscula para grafia do termo. Porém, já que em geral a experiência clínica do *Self* tem lugar dentro da esfera da consciência do ego, a ênfase no nível arquetípico dentro da literatura às vezes pode ser mais mistificante que edificante. Por conseguinte, os editores da Chiron optaram por deixar a questão a cargo dos autores. Eles decidirão usar "S" maiúsculo e, assim, frisar a base arquetípica, transpessoal, ou "s" minúsculo, indicando com isso a discussão de questões ligadas principalmente à identidade do ego e à apropriação pessoal desse fator central na vida psíquica, que pode ser formulado menos precisamente por meio da referência ao substrato arquetípico.

Impresso por :

Graphium
gráfica e editora
Tel.:11 2769-9056